l'ABCdaire

des

Orchidées

Geneviève Carbone
Yves Delange
Jean-Claude Gachet
Mireille Lemercier

Flammarion

LES QUESTIONS QUE L'ON SE POSE

Reconnue depuis l'Antiquité comme une fleur singulière, l'orchidée a longtemps été investie de vertus médicinales et de pouvoirs magiques. Métaphore de l'amour charnel chez nos plus grands écrivains, quels mystères recèle-t-elle aujourd'hui ?

Une plante à fleurs sur douze est une orchidée. La vanille du Mexique rejoint les genres européens dans une même famille. Quel rôle l'homme, pris de passion pour cette fleur, a-t-il joué dans l'histoire de l'espèce ?

Captivante par sa beauté, l'orchidée l'est aussi par sa sexualité. De quelle manière ces plantes assurent-elles leur reproduction ? Par quelles stratagèmes attirent-elles les insectes qui assurent leur fécondation ?

COMMENT L'ABC*daire* Y RÉPOND...

Le guide de l'abécédaire p. 6

Il explique comment comprendre les orchidées en regroupant les notices de l'abécédaire selon trois perspectives scientifique, pratique et culturelle. Un code de couleurs indique le genre de chaque notice :

■ La botanique :
les espèces,
la reproduction,
les obtenteurs.

■ La culture :
les soins,
la protection.

■ L'histoire :
le commerce,
la littérature,
la symbolique.

À partir de la lecture de ces notices, et grâce aux renvois signalés par les astérisques, le lecteur voyage comme il lui plaît dans l'abécédaire.

L'abécédaire p. 29

Par ordre alphabétique, on trouvera dans ces notices tout ce qu'il faut savoir pour pénétrer dans l'univers des orchidées. L'information est complétée par les éclairages suivants :
- des explications détaillées sur la culture des orchidées ;
- des encadrés qui mettent en lumière les aspects essentiels de leur étude.

Les Orchidées racontées p. 11

En tête de l'ouvrage, une synthèse reprend l'articulation du guide de l'abécédaire en développant chacun de ses thèmes.

I. CHERCHEURS D'ORCHIDÉES

A. Mourir pour une fleur

L'extension des voies maritimes autour du monde permirent aux Européens de découvrir, entre autres merveilles, des orchidées exceptionnelles. Souvent au péril de leur vie, naturalistes et botanistes suivirent les grandes expéditions maritimes pour faire l'inventaire des beautés du monde.

- *Antilles*
- *Chasseurs d'orchidées*
- *Collection*
- *Épiphytes*
- *Europe (introduction en)*
- *Gousse*
- *Jardinier voyageur*
- *Naturaliste voyageur*
- *Nouveau Monde*

B. Le défi des scientifiques

Au fur et à mesure de leurs découvertes, les naturalistes rassemblèrent de remarquables herbiers pour identifier, répertorier, analyser les espèces végétales. Aujourd'hui, une tâche supplémentaire s'impose aux scientifiques : lutter contre le pillage de la nature par les activités humaines.

- *Bernard (Noël)*
- *Classification*
- *Darwin*
- *Dioscoride*
- *Distribution géographique*
- *Gousse*
- *Humbold-Bonpland*
- *Inventaire*
- *Jardins botaniques*
- *Méristèmes*
- *Neumann*

C. Les obtenteurs

Les espèces d'orchidées récoltées dans la nature sont souvent difficiles à cultiver en dehors de leur biotope d'origine. De nombreux travaux ont permis de comprendre les mécanismes de leur reproduction, de créer de nouveaux cultivars et de sélectionner des caractères intéressants pour l'horticulture.

- *Biotope*
- *Germination*
- *Graine*
- *Hybrides*
- *Multiplication provoquée*
- *Pollinisation artificielle*
- *Semis*
- *Sexualité*
- *Vente*

II. TRILOGIE FLORALE

A. La fleur

Singulière et fascinante par l'étrangeté de sa forme et la somptuosité de ses coloris, la fleur d'orchidée l'est aussi par sa structure ternaire et son organisation biologique particulière.

- *Appareil végétatif*
- *Floraison et fructification*
- *Germination*
- *Gousse*
- *Graine*
- *Labelle*
- *Méristème*
- *Multiplication spontanée*
- *Racines*
- *Sexualité*
- *Structure*

B. L'insecte

Si certaines orchidées pratiquent l'autofécondation, la majorité incluent dans leur cycle reproducteur un partenaire indispensable : l'insecte. Leurres visuels, olfactifs ou tactiles permettent à la fleur d'orchidée de l'attirer et de le piéger.

- *Coévolution*
- *Crus vanilliers*
- *Insecte*
- *Pollinisation*
- *Sexualité*
- *Vanille*

C. Le champignon

La minuscule graine de l'orchidée a besoin pour germer de la présence d'un champignon. La découverte des relations symbiotiques qui unissent champignons et orchidées fut une étape décisive dans la connaissance de leur biologie.

- *Bernard (Noël)*
- *Graine*
- *Inventaire*
- *Mycotrophie*
- *Semis*
- *Terrestre*

III. DE NATURE EN CULTURE

A. Des milliers d'espèces

La famille des orchidées est l'une des plus importantes du règne végétal. Sa distribution géographique considérable couvre des biotopes variés, en plaines ou en montagnes, chauds et humides, secs et froids.

- *Antilles*
- *Classification*
- *Crus vanilliers*
- *Discoride*
- *Distribution géographique*
- *Épiphytes*
- *Inventaire*
- *Noms vernaculaires*
- *Terrestres*
- *Vanille*

B. De la forêt à la serre

Contrairement à leurs sœurs indigènes qui n'ont pas quitté leur milieu naturel, les orchidées tropicales ont été rapportées de la profondeur de leurs forêts d'origine pour être cultivées dans nos serres.

- *Biotope*
- *Canopée*
- *Chasseurs d'orchidées*
- *Europe (introduction en)*
- *Jardinier voyageur*
- *Jardin botanique*
- *Naturaliste*
- *Nouveau Monde*
- *Protection*
- *Serre*

C. Cultiver et commercer

Après bien des erreurs et de nombreux désastres, l'homme a réussi à apprivoiser cette fleur à la reproduction déroutante. Aujourd'hui, les connaissances botaniques facilitent la culture et le commerce de l'orchidée.

- *Acclimatation*
- *Alimentation*
- *Arrosage*
- *Compost*
- *Économie coloniale*
- *Engrais*
- *Germination*
- *Graine*
- *Humidité*
- *Lumière*
- *Maladies*
- *Rempotage*
- *Salep*
- *Semis*
- *Serre*
- *Température*
- *Terrasse et jardin*
- *Ventilation*

IV. ORCHIDOMANIA

A. La passion de la collection

La fièvre de l'orchidée se propagea dans l'Europe du XIXe siècle. Si la passion des collectionneurs fut à l'origine d'excès qui mirent en péril différentes espèces, elle fit aussi avancer la connaissance que nous avons du monde végétal.

- *Chasseur d'orchidées*
- *CITES*
- *Collection*
- *Protection*
- *Serre*
- *Sociétés d'orchidophilie*
- *Vente*

B. Signe extérieur de richesse

Gagnés par l'*orchidomania*, les amateurs dotèrent leurs maisons de serres ou de vérandas pour y exposer leurs orchidées. La séduction qu'exerçaient ces végétaux entraîna un phénomène de mode et certaines d'entre-elles atteignirent des prix exhorbitants.

- *Collection*
- *Jardin botanique*
- *Serre*
- *Vente*

C. Rêves exotiques

Mais la séduction exercée par les orchidées ne tient pas seulement à leur rareté et à leur prix. Leur beauté fascine et inquiète, réveillant d'obscurs désirs et d'inavouables craintes.

- *Beauté*
- *Littérature*
- *Rêve vénéneux*
- *Sexualité*
- *Thérapeutique*

LES ORCHIDÉES RACONTÉES

La famille des orchidées est l'une des plus importantes du règne végétal par le nombre de représentants qui, de l'équateur jusqu'aux régions froides des deux hémisphères, sont dispersés dans toutes les parties du globe. Extrêmement diverses par leurs formes, leurs couleurs, leur port, les orchidées possèdent toutes, cependant, des caractères singuliers qui les distinguent des autres plantes. À la fin du XVIIIe siècle, dans la *Flore française*, Lamarck écrivait, à propos des orchidées indigènes : « Les orchidées constituent une famille tellement naturelle qu'il n'est presque aucun de leurs organes qui ne puisse leur servir de caractère distinctif. » À l'orée du XIXe siècle, cette remarque sera tout autant pertinente lorsque, dans sa *Botanique* de *l'Encyclopédie méthodique*, le même savant décrira cette fois des orchidées appartenant aux flores tropicales, récemment découvertes sur des terres lointaines.

Cette identité des orchidées tient non seulement à la structure* de la fleur mais aussi à l'organisation biologique qui place ces plantes dans une étroite dépendance par rapport aux insectes d'une part, à certains champignons d'autre part.

Fleur insolite, l'orchidée occupe, comme la rose, une place privilégiée dans les relations que les hommes entretiennent avec les fleurs. Vénérée en Extrême-Orient dès le IIe millénaire avant notre ère, investie dans l'Antiquité et au Moyen Âge de vertus médicinales, l'orchidée, dans sa magnificence tropicale, arriva en Europe au XVIe siècle, dans les bagages des grands navigateurs. Depuis, naturalistes*, botanistes, horticulteurs n'eurent de cesse d'étudier, répertorier, cultiver, multiplier cette plante qui fit – et fait encore – rêver amateurs passionnés et collectionneurs*.

I. Chercheurs d'orchidées

A. Mourir pour une fleur

Les développements de la navigation aux XVIe et XVIIe siècles et l'extension des voies maritimes autour du monde, même pendant les conquêtes, furent à l'origine des plus grandes découvertes grâce aux naturalistes voyageurs – ainsi qu'aux chasseurs* de plantes et d'orchidées –, souvent intrépides et qui payèrent parfois un lourd tribut au cours de ces expéditions. Parmi les Français, il faut citer les naturalistes du Jardin du Roi – devenu après la Convention le Muséum national d'Histoire naturelle –, et en particulier Joseph Dombey, mort dans les prisons de Montserrat, André Michaux, mort des fièvres à Madagascar, Victor Jacquemont, ami de Mérimée et de Stendhal, mort du paludisme à Bombay, dont la dépouille repose

Atelier Gallé, *Étude de Cypripedium pour une marqueterie de verres*, 1902-1903. Crayon, encre, et aquarelle, 42,2 × 31,9. Paris, Orsay.

aujourd'hui dans la Galerie de l'évolution du Muséum, Jean-Nicolas Collignon, jardinier* botaniste qui, en compagnie de La Pérouse, disparut au large de l'Australie, ou encore le père Armand David qui revint d'Asie épuisé par la maladie.

B. Le défi des scientifiques

Ce fut donc souvent grâce au courage de vaillants naturalistes que s'édifia le grand livre de la connaissance en histoire naturelle. Certains revinrent triomphants, tel Humboldt* qui, en compagnie de

Bonpland, fit ce que l'on peut appeler une seconde découverte de l'Amérique. Dès cette époque et jusqu'à maintenant se sont constitués de remarquables herbiers dans de nombreux pays : France (8 millions d'échantillons au Muséum), Angleterre, Allemagne, Hollande, Suisse, États-Unis, Australie. La liste des botanistes spécialistes des orchidées est longue : Karsten, Reichenbach, Linden, Lindley, Hooker, Cogniaux, Schlechter, Swartz, Ruiz, Pavon, Kunth, Pfitzer, Brown, Bergius, Costantin, Guillaumin, plus récemment Bosser, Hallé, Arditti, Veyret, Dressler, Withner, Cribb, Hagsater,

Antoine Phelippeaux, *Les Découvertes de Cook et de La Pérouse.* Gravure, v. 1798-1799. Canberra, National Library of Australia.

Anonyme, *Charles Darwin avec Charles Lyell et Joseph Hooker*, milieu du XIXe siècle. H/t. Londres, Royal College of Surgeons.

J. Stewart, Jenny, Senghas et Braem. Mais, aujourd'hui, tout en accomplissant leur mission relative à la diffusion des connaissances, les scientifiques ont à lutter contre un fléau redoutable : la conquête des espaces naturels par toutes sortes d'activités humaines, ce qui se traduit par la disparition parfois définitive de très nombreuses espèces. Diverses réglementations ont été établies dans plusieurs pays en faveur de la protection des plantes. En 1973, à Washington, a été signée la Convention internationale sur le commerce des espèces menacées (CITES*) dont 122 pays sont membres. La France elle-même participante, s'attache à protéger également les orchidées se développant parmi nos biotopes*.

C. Les obtenteurs

Les orchidées récoltées dans la nature et qui constituent d'importantes collections scientifiques au sein des jardins botaniques*, présentent une diversité remarquable mais elles ne satisfont que rarement les critères de qualité commerciale : durée de floraison, dimension des fleurs, résistance aux transports, etc. Depuis que la multiplication* par graines a été rendue possible, l'obtention de nouveaux cultivars issus de croisements et de la sélection a pris un essor immense.

Habituellement, les croisements entre végétaux consistent à féconder la fleur d'une espèce avec une autre espèce appartenant au même genre. Mais, chez les orchidées, il est possible de réaliser des croisements intergénériques, par exemple bigénériques tel *Laeliocattleya*, issu de *Laelia* × *Cattleya*, ou trigénériques tel *Sophrolaeliocattleya*, issu de *Sophronitis* × *Laelia* × *Cattleya.* On peut ainsi faire intervenir jusqu'à cinq genres et de multiples espèces, en vue d'associer des qualités correspondant aux critères retenus par les orchidéistes. Ce sont donc des dizaines de milliers d'obtentions qui ont été réalisées. Elles brouillent parfois les cartes par rapport aux connaissances relatives à la génétique de ces végétaux, mais leur beauté les fait rivaliser avec les plus remarquables créations de la floriculture.

II. Trilogie florale

A. La fleur

À double titre, il est permis de parler de trilogie florale à propos de l'association fleur-insecte-champignon puisque les fleurs des orchidées sont elles-mêmes placées sous le signe du nombre trois qui régit sépales, pétales, étamines (trois ou deux ou une) et carpelles. Chez la plupart des orchidées cultivées pour leur attrait ornemental, les sépales sont eux aussi diversement colorés, l'ensemble des organes floraux pouvant revêtir des aspects singuliers que le botaniste herborisant identifiera instantanément. Dans la plupart des cas, l'un des trois pétales présente un aspect particulier, c'est le labelle*. La forme, les dimensions, la couleur du labelle sont excessivement variables ; cet organe est associé aux processus de fécondation* de la fleur. Chez diverses espèces, le labelle est prolongé en arrière par un éperon souvent porteur de glandes à nectar, internes.

Il n'est pas que ces pièces du calice et de la corolle constituant « l'enveloppe florale », pour contribuer à singulariser la fleur d'orchidée. Les organes reproducteurs ont eux aussi une constitution spéci-

Lycaste skinneri, Amérique tropicale.

fique. Les supports des organes mâles, les étamines, au lieu de libérer du pollen pulvérulent, produisent des pollinies, constituées par du pollen agglutiné. Enfin, autre particularité propre aux fleurs des orchidées, les appareils reproducteurs mâle et femelle sont soudés et forment un *gynostème* dont la morphologie rend les processus de fécondation parfois fort complexes, justement liés à l'intervention des insectes*.

B. L'insecte

Cette complexité de l'appareil reproducteur a entraîné au cours de l'évolution une sélectivité souvent très poussée par rapport aux agents de la fécondation. Si certaines orchidées pratiquent l'autofécondation, la majorité incluent obligatoirement dans le cycle reproducteur l'intervention d'un insecte, fait largement commenté par Charles Darwin*. Ce processus, fréquent dans le règne végétal, nécessite, chez les orchidées, la présence d'un insecte précis. Pour cette raison, la vanille* qui appartient à la famille des orchidées, n'est fécondée naturellement que dans son aire d'origine, en Amérique, où vit un Hyménoptère, une petite abeille : la mélipone. Ailleurs et en culture, les fleurs du vanillier doivent être pollinisées* manuellement. La fécondation d'autres orchidées comme celles à long éperon nectarifère (*Angraecum* malgaches), nécessite la présence d' trompe est adaptée à la taille de cet éperon (ill. p. Il existe encore un autre type d'association à entre l'orchidée et l'insecte : ainsi, chez certair Mexique, les pseudobulbes* développés par les inférieure, hébergent des fourmis. De cette fa trouvent protégés par la plante qui reçoit, en éch la forme de déjections. Ces relations plantes-ins parallélisme permanent au cours de l'évolution ayant eu pour résultat la genèse de différentes adaptées à leur milieu.

Lépidoptère sur *Ophrys insectifera*, l'ophrys mouche, Isère.

C. Le champignon

Avec la plante et l'insecte, intervient obligatoirement dans la biologie de l'orchidée un troisième organisme : un champignon ou mycorhize interne, qui habite les organes végétatifs. Avant qu'en France, Noël Bernard* découvre ce phénomène en 1899, on ne réussissait pas à multiplier les orchidées à partir de graines. Dès le plus jeune âge de la plante, au stade de la germination*, le mycorhize participe au développement de l'appareil végétal. Il s'agit d'une association symbiotique (voir Mycotrophie) régulée par de subtils mécanismes, le champignon présent dans les tissus vivants de la zone périphérique des racines des orchidées, appartient au groupe des *Rhizoctonia*.

Dans la famille des orchidées, il existe aussi quelques genres dont la symbiose est devenue permanente. La plante, telle la néottie nid-d'oiseau, *Neottia nidus-avis*, est dépourvue de chlorophylle et perd ses capacités de photosynthèse. Elle dépend entièrement du champignon pour sa nourriture et la synthèse de sa matière vivante.

III. De nature en culture

Orchis. Planche extraite de Chaumeton, *Flore médicale*, Paris, 1814-1818.

A. Des milliers d'espèces

Dans l'ensemble du règne végétal, les deux familles les plus importantes en nombre sont les Composées, comportant 1 300 genres et 21 000 espèces et les Orchidacées, chez lesquelles on compte environ 750 genres et près de 30 000 espèces. Au-delà de cette importance quantitative, l'étendue et la diversité des territoires occupés par les orchidées sont considérables, allant de 56° de latitude sud à 68° de latitude nord. La densité est très variable, elle est liée dans la plupart des cas au climat et les secteurs intertropicaux humides sont de loin les plus riches – la Colombie avec 3 000 espèces, Madagascar ou encore la Nouvelle-Calédonie où on a pu décrire 69 genres d'orchidées avec 191 espèces. Bon nombre d'orchidées occupent des aires très restreintes mais il en est d'autres qui sont, au contraire, très dispersées, comme le genre *Vanilla* dont fait partie la vanille, présent à la fois parmi les flores de l'Amérique, de l'Afrique, de Madagascar et des Comores ainsi que de la Polynésie. On rencontre ces plantes depuis le niveau de la mer, bénéficiant alors de climats chauds réguliers, jusqu'aux montagnes élevées, subissant des périodes de froid ou de sécheresse plus ou moins prolongées.

Himantoglossum hircinum, l'orchis bouc, Alpes-Maritimes.

Les orchidées appartiennent à un groupe à la fois ancien puisque ces plantes sont apparues au Jurassique, il y a près de 200 millions d'années, mais elles présentent aussi des caractères liés à une évolution récente. Si certaines espèces dans les régions tempérées ou en

Australie sont des plantes terrestres, ce sont ailleurs surtout des épiphytes* mais aussi des lithophytes, vivant alors fixées sur les pierres, pourvues d'aptitudes liées à une résistance prononcée à l'aridité.

B. De la forêt à la serre

Les orchidées terrestres sont très belles mais difficilement cultivables, et généralement protégées* par une législation récente, elles sont surtout appréciées par les botanistes. Ce sont donc presque essentiellement les orchidées épiphytes*, des variétés améliorées issues des espèces tropicales ou subtropicales, qui peuplent les serres des horticulteurs spécialistes. Parmi ces dernières, les genres venus de la vaste région Asie-Indonésie et ceux d'Amérique sont de loin les plus importants. Dans le groupe asiatique, on peut citer : *Dendrobium, Aerides, Coelogyne, Cymbidium, Vanda, Paphiopedilum, Phalaenopsis, Cirrhopetalum*... et dans le groupe américain : *Laelia, Cattleya, Epidendrum, Odontoglossum, Miltonia, Brassia*, ou encore des plantes beaucoup moins courantes, comme *Stanhopea* ou *Gongora*. L'Afrique, si riche par ailleurs pour les naturalistes, comporte quelques genres d'orchidées surtout présents dans les collections botaniques, parmi lesquels il convient de citer *Angraecum, Bulbophyllum* ou les si délicats *Disa* du Cap.

La plupart de ces végétaux exigent des substrats très riches en humus, dans lesquels ils développent leurs racines*, tandis que le milieu aérien ou souterrain est abondamment humidifié, modifié périodiquement à cet égard afin d'entraîner des périodes de repos de la végétation plus ou moins marquées.

Les serres* à orchidées, lumineuses sans excès d'ensoleillement, peuvent être froides, tempérées ou chaudes suivant l'origine des plantes cultivées. À de rares exceptions près, les serres horticoles hébergent très peu d'espèces botaniques : les orchidées vendues par les producteurs et les fleuristes sont des variétés (ou cultivars) ayant souvent peu de ressemblance avec les plantes que les botanistes récoltent dans les forêts tropicales.

Renanthera monachica, Luzon (Philippines).

Variété horticole, *Vanda* hybrides.

C. Cultiver et commercer

Avant la découverte des mycorhizes (voir Mycotrophie), on ne savait reproduire les orchidées que par multiplication végétative (bouturage, division), ce qui contribuait à rendre leur prix d'autant plus élevé, surtout pour les espèces à croissance lente. À partir du moment où les souches de *Rhizoctonia* furent isolées et cultivées en laboratoire, il fut alors possible de procéder à la multiplication sexuée, par graines* ; ainsi apparurent en nombre les orchidées issues de semis*. Depuis les années 1970, on cultive ces plantes *in vitro*, en

milieux stériles enrichis et, en quelques semaines, on obtient ainsi des plantes déjà suffisamment développées pour être transplantées dans un compost adapté à leurs exigences ; elles seront adultes et commercialisables dans un délai variant entre 2 et 7 ans.

Ce sont les découvertes scientifiques dues aux travaux de deux savants français, Noël Bernard* et Georges Morel (voir Méristèmes), qui ont donné un essor considérable à l'orchidophilie, en Europe et à présent dans le monde entier. Les cultures en milieu tropical ont cependant pris de l'ampleur depuis quelques décennies et les importations jouent sur la concurrence. Mais on ne rencontre là qu'une gamme restreinte d'espèces, qui ne sauraient concurrencer que dans des limites relatives les produits de l'hybridation* proposés dans les pays industrialisés par les obtenteurs spécialistes. Ces derniers offrent un choix perpétuellement renouvelé de créations à tous égards séduisantes par la richesse inouïe des formes et des couleurs.

IV. Orchidomania

A. La passion de la collection

Si les orchidées avaient été accessibles aux collectionneurs de plantes dès le XVIIe siècle, La Bruyère aurait pu inclure, dans *Les Caractères*, l'Amateur d'orchidées comme il le fit pour l'Amateur de tulipes, tant la passion de la collection* peut s'exprimer de façon excessive avec ces fleurs. L'engouement pour la collection peut revêtir parfois une

dimension pathologique ; on a connu des collectionneurs capables d'accomplir le pire afin d'être les seuls à posséder certaines espèces ! Au siècle dernier, *Cattleya labiata* var. *automnalis* fut si prisé que, quelques mois seulement après sa diffusion chez lord Cattley en Angleterre, il constituait déjà une espèce menacée !

La fièvre de la collection sévit en France, en Belgique, en Angleterre, en Allemagne et jusqu'en Russie, surtout à partir du milieu du XIXe siècle. Parvenaient des continents éloignés, dans de nombreux ports d'Europe, quantités de plantes souvent destinées à périr, faute d'être convenablement cultivées. À cette passion, les États-Unis d'Amérique ne purent échapper mais J. Rand, l'un des plus importants collectionneurs américains du siècle dernier, celui-là doué de raison, fit don de ses précieuses plantes à l'Université de Harvard.

B. Signe extérieur de richesse

Les grands établissements scientifiques – le Muséum à Paris, Kew Gardens près de Londres, Berlin-Dahlem... – se dotèrent de magnifiques serres tropicales hébergeant des collections d'orchidées, et ils furent aussitôt imités par les bourgeois nantis. La séduction

Kew Gardens, Londres, v. 1900.

qu'exerçaient ces végétaux ne manqua pas d'entraîner un phénomène de mode et les orchidées furent assez vite associées, au cours du siècle, au snobisme des classes aisées, devenant des signes extérieurs de richesse. Certaines plantes atteignaient des prix exorbitants. D. Bois, alors spécialiste des cultures au Muséum, a rapporté

Laeliocattleya, hybride Chitchat 'Tangerine'.

quelques prix : 600 F pour un *Angraecum eburneum* en 1830 ; 2 525 F pour un *Aerides schroderae* en 1855 et 4 500 F (dix fois le salaire mensuel d'un employé de maison) pour un *Vanda sanderiana* en 1885 – la tulipomanie n'avait pas été plus « innocente » : en 1608, un bulbe unique pouvait constituer une dot pour une épouse. On comprend mieux l'importance du développement des cultures d'orchidées à la fin du XIXe siècle et au début du XXe. Selon Marcel Lecoufle, entre 1890 et 1910, il existait en France dix-huit établissements de culture d'orchidées mais les progrès accomplis dans le domaine de la multiplication ont bien modifié cette situation : un demi-siècle plus tard, il ne restait plus que huit producteurs.

C. Rêves exotiques

Les orchidées semblent avoir suscité plus de rêves que d'autres fleurs. En Extrême-Orient, ces plantes eurent parfois une fonction religieuse ; elles ont été à l'origine de légendes quelque dix-huit siècles avant Jésus-Christ et furent un sujet privilégié pour quantité d'œuvres d'art les plus raffinées, associées ou non au prunier et au bambou. À l'occasion d'une récente Conférence internationale sur les orchidées, Takashi Kijima, portraitiste photographe de la femme

Hokusai (1760-1849), *Orchidées jaunes* de la suite des *Grandes Fleurs.* Estampe. Paris, Guimet.

au Japon, a consacré un ensemble d'œuvres à ces fleurs qu'il a, selon ses propres termes, « toujours considérées comme des créatures féminines. Un symbolisme érotique leur est rattaché plus qu'à toutes les autres ». Et d'exprimer dans ses photographies « la beauté ensorcelante ou sage de certaines fleurs [...] représentant la pureté ou bien étant à l'origine de tous les rêves ».

En Occident, les orchidées et les sentiments qu'elles inspirent, ont intéressé divers écrivains et non des moindres : Proust, Maupassant, Zola, Huysmans. La connaissance de ces plantes prestigieuses parfois étranges, mimant abeilles, araignées ou papillons, est chez nous relativement récente mais il ne fait aucun doute que longtemps encore, des auteurs, des poètes exprimeront les rêves les plus divers que pourront leur inspirer ces éblouissantes exotiques.

Yves DELANGE

Acclimatation

L'acclimatation d'une plante consiste à l'accoutumer à vivre dans un milieu différent de son milieu d'origine. Les paramètres de culture sont progressivement modifiés et rapprochés de ceux offerts par le nouveau milieu, la plante conservant ainsi son potentiel de croissance et de floraison*. En Angleterre, premier pays à importer des orchidées tropicales, on perdit, par méconnaissance des climats exotiques, des milliers de plantes que l'on s'évertuait à cultiver, jusque vers 1850, dans une atmosphère surchauffée et moite. Maintenant que la multiplication est plus aisée, il est inutile, et souvent interdit (voir CITES), de ramener des orchidées de l'étranger. Dans les pays dont elles sont originaires, les orchidées ne sont pas toujours vendues dans des conditions d'achat idéales : spécimens trop fraîchement collectés, abîmés ou trop vieux, nombre insuffisant de pseudobulbes*. Si elle ne meurt pas rapidement, l'orchidée met parfois plusieurs années à surmonter ce mauvais départ. Pour se risquer à cette opération, il faut garder la plante au sec pendant le voyage puis la remettre en culture une fois rentré chez soi. Les plantules en flacons s'acclimatent mieux.

Le problème n'est pas plus simple avec les orchidées indigènes* qui ont pu s'établir dans l'herbe du jardin. Il faut rechercher les rosettes avant de tondre et, surtout, ne pas les déplacer. Elles risqueraient fort de ne pouvoir s'acclimater, à peine quelques mètres plus loin, par manque d'un des éléments indispensables, par exemple l'absence du champignon symbiotique (voir Mycotrophie). ML

Conditionnement des gousses de vanille, Madagascar.

Auguste Garneray, *Intérieur de la serre chaude du château de La Malmaison* (détail), 1812. Aquarelle. Musée national du château de Malmaison.

Alimentation

Même s'ils paraissent aujourd'hui anecdotiques, les usages alimentaires des orchidées ont eu une importance certaine dans l'économie domestique des populations d'Amérique centrale, de l'océan Indien et de l'Océanie.

Localement, les orchidées ont été considérées comme une ressource vivrière et leurs parties souterraines utilisées dans l'alimentation. De telles pratiques ont été observées à Madagascar, en Australie, en Tasmanie où les colons blancs donnèrent aux tubercules* de l'orchidée *Gastrodia sesamoides* le nom de « *native potato* » ou « pomme de terre indigène ». En France, l'utilisation des tubercules d'orchidée dans l'alimentation humaine fut préconisée, au XVIIe siècle, comme cela avait déjà été le cas, un siècle plus tôt, pour les bulbes de tulipes.

L'inscription des orchidées dans le domaine alimentaire n'est pas sans relation avec les propriétés thérapeutiques* qui leur sont attribuées. À Madagascar, dans l'île Maurice et à la Réunion, les feuilles séchées de l'orchidée *Angraecum fragrans* sont utilisées en infusion soit seules, soit mélangées pour moitié avec des feuilles de thé. Sur tout le pourtour méditerranéen, au Proche-Orient et jusqu'en Inde, les tubercules d'*Orchis* sont ébouillantés et réduits en poudre pour donner le salep*, produit servant à préparer breuvages et gelées. Dans toute l'Amérique centrale et jusqu'au début du XVIe siècle, la vanille*, connue seulement des populations amérindiennes, jouait un rôle certain dans leur vie quotidienne. Cultivée dans les Basses-Terres chaudes de la côte, la vanille servait, avec le piment, à aromatiser le chocolat. GC

Antilles

Après la découverte du Nouveau* Monde, les possessions antillaises furent disputées par les Espagnols, les Français, les Anglais, les Hollandais et les Danois. Les indigènes en grande partie éliminés et remplacés par des esclaves noirs, les apports de populations extérieures eurent pour résultat non seulement un fort métissage mais l'importation de coutumes et, par là, de végétaux de toutes provenances.

Epidendrum mutelianum, Guadeloupe.

Riedlé, jardinier* au Jardin du Roi dont l'intendant était alors Buffon, fut envoyé aux Antilles en 1778. Parti à bord d'un navire commandé par le capitaine Baudin, il rapporta une splendide collection de végétaux cultivés ensuite dans les serres* à Paris. Parmi ces végétaux, certains furent remarqués comme n'appartenant pas à la flore indigène des Antilles.
Aujourd'hui, en ces points de rencontre de riches milieux naturels que sont les Antilles, il est parfois difficile de situer l'origine des végétaux. Parmi les orchidées, il est des espèces d'origine lointaine qui se sont parfois naturalisées, tel *Spathoglottis plicata*, natif de Malaisie. Par contre, il existe aux Antilles des espèces endémiques gravement menacées, comme *Epidendrum mutelianum* de Guadeloupe, dite orchidée des hauts, inscrite sur le *Livre rouge* de l'Union internationale pour la Conservation de la Nature. Suite à l'affluence des touristes, les fleurs cueillies inconsidérément finissent de façon navrante, souvent abandonnées au bord des parcs à voitures. YD

Appareil végétatif

Toutes les plantes à fleurs sont constituées d'un appareil reproducteur (la fleur*) et d'un appareil végétatif avec une partie souterraine (racines*, tubercules, rhizome) et une partie aérienne (tiges et feuilles).
La partie aérienne des Orchidacées européennes présente des différences d'une espèce à

l'autre. Ce sont toutes des plantes herbacées, dont la taille peut varier de quelques centimètres (10 cm pour *Chamorchis alpina*) jusqu'à plus d'un mètre pour *Dactylorhiza elata*. Mais la majorité des espèces se situe entre 20 et 30 cm.

La tige est dressée et jamais bifurquée. Elle est de section cylindrique, rarement anguleuse, pleine chez quelques espèces *(Nigritella, Liparis)*, souvent creuse chez certaines *Dactylorhiza*. Elle peut être glabre ou duveteuse.

Les feuilles sont rassemblées en rosette à la base de la tige (comme chez les *Ophrys*) ou réparties le long de la tige. Le nombre et la forme des feuilles sont variables. Une feuille chez *Malaxis monophyllos*, deux chez *Gennaria diphylla* ou chez *Platanthera bifolia*.

Elles peuvent être ovales *(Listera ovata)*, en forme de cœur *(Listera cordata)*, de petite taille *(Epipactis microphylla)*, allongées et lancéolées *(Cephalanthera longifolia)*. Toujours entières, elles portent des nervures parallèles mais sont réticulées chez *Goodyera repens*. Le plus souvent vertes, elles peuvent être maculées de taches brunes *(Dactylorhiza maculata)*.

La tige porte l'inflorescence (ensemble des fleurs) à son extrémité supérieure. À leur point d'insertion sur la tige, les fleurs sont munies d'une bractée (petite feuille) pouvant être très réduite.

L'inflorescence a une fleur, parfois deux *(Cypripedium calceolus)* ou plusieurs fleurs en épi. Elle est généralement de forme cylindrique, parfois sphérique *(Traunsteinera globosa)*, pyramidale *(Anacamptis pyramidalis)* ou en spirale *(Spiranthes spiralis)*. JCG

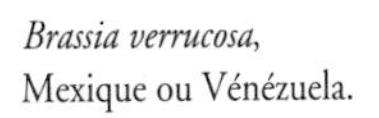

Brassia verrucosa, Mexique ou Vénézuela.

Spiranthes spiralis, le spiranthe d'automne.

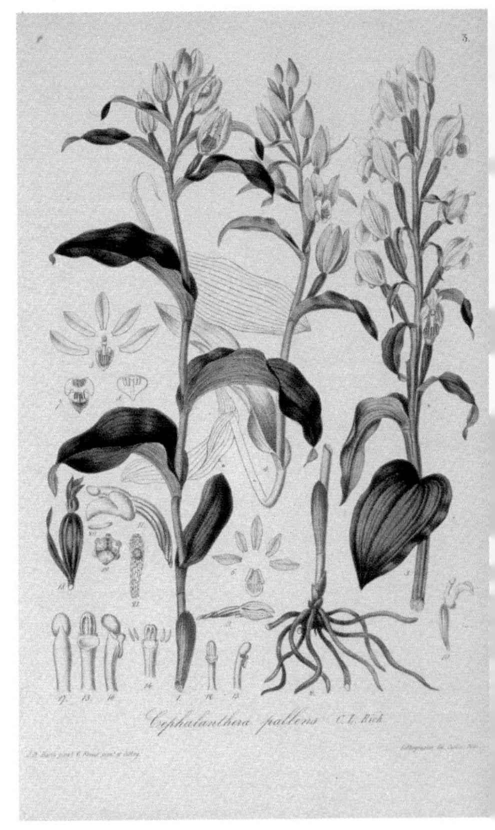

Cephalanthera damasonium (ex *C. pallens*). Planche extraite de J.-B. Barla, *Iconographie des orchidées*, Nice, 1868.

ARROSAGE

L'arrosage d'une orchidée pose souvent problème. En effet, certaines espèces, originaires de régions tropicales marquées par l'alternance de saisons des pluies et de saisons sèches, exigent un repos pour reproduire le climat de leur pays d'origine. En période de germination* dans la nature et de croissance, les orchidées ont un besoin d'eau accru. Par contre, pendant la maturation du pseudobulbe*, juste avant la floraison*, la quantité d'eau nécessaire diminue. On arrose peu une plante malade ou peu racinée.

La fréquence de l'arrosage dépend du mode de culture* : pots, paniers ou plaques. Il faut humidifier paniers et plaques tous les jours, par vaporisation, et les immerger pendant 1 à 2 minutes une à deux fois par semaine, plus souvent en été. Avant d'arroser les plantes en pots, en vérifier la nécessité en enfonçant un doigt dans le compost* ou en soupesant le pot. Les petits pots sèchent plus vite que les grands.

Les orchidées préfèrent l'eau de pluie servie tiède (30 °C) dans la matinée. Ainsi elle a le temps de s'écouler hors du pot avant la diminution de la température ressentie le soir. S'il est impossible de recueillir de l'eau de pluie, on peut utiliser de l'eau du robinet si elle n'est pas trop dure, ou l'adoucir avec quelques gouttes de vinaigre, ou se servir d'une eau minérale faiblement minéralisée.

Les erreurs sont dues, comme souvent, à des excès : trop d'eau ou pas assez. Les conséquences sont identiques : les feuilles flétrissent, jaunissent et tombent, les racines meurent par asphyxie ou dessèchement. Quelques orchidées signalent ces erreurs en produisant des feuilles plissées *(Miltonia, Oncidium)*. De temps en temps, un bon arrosage permet de laver le compost pour éviter les brûlures des racines* dues aux sels minéraux mais il ne doit jamais rester d'eau stagnante sous les pots. ML

Vuylstekeara, hybride 'Edna Normandy'.

Arrosage déconseillé : le pot ne doit pas être en contact direct avec l'eau.

Arrosage recommandé : le pot est maintenu au-dessus du niveau de l'eau par des billes d'argile.

EDGARD MAXENCE

Beauté

En Chine, depuis l'époque Song et aujourd'hui encore, on aime les fleurs pour leur beauté comme nulle part ailleurs. Selon l'anthropologue anglais Jack Goody, auteur de *La Culture des fleurs* (1993), « le lien sacré de l'orchidée » y désigne symboliquement l'union spirituelle entre les êtres et, pour Confucius, rencontrer des hommes bons, c'est pénétrer dans une pièce remplie de ces fleurs. Les « maisons dorées des Orchidées » accueillaient en Chine du Sud des jeunes filles à marier. Ces plantes étaient toujours associées à une jeune et jolie femme.

Entre 1250 et 1300, le peintre Cheng Ssu-hsaio évoqua le viol du sol chinois par les armées mongoles en peignant une orchidée déracinée. À l'issue de la guerre au Viêt-nam, un artiste exprima son espoir de paix en peignant une orchidée renaissant dans une forêt incendiée au lance-flammes.

En Occident, les orchidées sont rarement choisies comme sujets par les peintres mais il est un post-impressionniste récemment redécouvert, qui consacra une partie de son très grand talent aux orchidées : Jules-Alfred Duquesne (1874-1950). YD

Bernard (Noël)

Les travaux de N. Bernard ont constitué une étape fondamentale dans la connaissance de la biologie des orchidées. Né en 1874, il publia en 1904 son œuvre la plus importante, *Recherches expérimentales sur les Orchidées*. En 1899, ce botaniste découvrait en forêt de Fontainebleau des graines germées de néottie nid-d'oiseau (*Neottia nidus-avis*). Jusqu'alors, la germination* des orchidées était entourée de mystère mais l'examen de ces semis* révéla la présence d'un mycélium (appareil végétatif et souterrain des champignons). À partir de là, Noël Bernard mena une recherche expérimentale qui lui permit de découvrir que la germination des orchidées nécessitait une association entre la plante et le mycélium – ce qui démontrait le caractère mycotrophe* des orchidées. Pour Bernard, ce caractère était devenu héréditaire et il publia, en 1909, *Évolution dans la symbiose*, expliquant l'adaptation d'un organisme à un autre organisme. Noël Bernard a eu l'immense mérite de découvrir que l'envahissement des cellules par les champignons est inhibé par une barrière cellulaire ; il y a, en somme, contrôle de l'invasion et ce fut aussi le point de départ de recherches essentielles en immunologie. Noël Bernard isola les souches de *Rhizoctonia* et réalisa les premiers semis symbiotiques ensuite pratiqués par tous les cultivateurs d'orchidées jusque dans les années 1970, où l'on assista à l'apparition massive d'orchidées issues de la culture par méristèmes*. YD

Noël Bernard, (1874-1911).

Edgar Maxence, *La Femme à l'orchidée*, 1900. H/t 57,5 × 43,5. Paris, Orsay.

Neottia nidus-avis, la néottie nid-d'oiseau, Savoie.

Épiphytes d'une forêt vierge au Brésil. Gravure extraite de E. de Puydt, *Les Orchidées*, 1880.

Biotope

Le biotope est un substrat inorganique caractérisé par un ensemble de facteurs physiques et chimiques (ensoleillement, température, hygrométrie, éléments minéraux...) sur lequel se développe une espèce végétale ou animale. Des orchidées en très grand nombre sont originaires de régions intertropicales bénéficiant tout au long de l'année d'une forte pluviosité. Mais une bonne connaissance de cette famille conduit à découvrir l'existence de biotopes dont les caractéristiques, très diverses, laissent deviner une multiplicité d'exigences. Les orchidées, surtout celles qui ne sont pas couramment proposées dans le commerce horticole (celles-là sont cultivées en serres* tempérées ou chaudes, humides), sont issues de biotopes diversifiés à l'extrême, souvent partagés en Amérique par des Broméliacées ou même des Cactacées épiphytes*.

Orchis mascula, l'orchis mâle, Alpes-Maritimes, 2 240 m.

Jusqu'à une époque récente, les orchidées xérophytes (caractéristiques des biotopes arides) étaient surtout cultivées dans les jardins botaniques. Par exemple, *Sarcanthus recurvus* qui vit au Cambodge sur des escarpements rocheux, est une plante remarquable par ses organes aériens succulents ressemblant à des Crassulacées des semi-déserts africains. Dans le bush aride malgache, *Vanilla decaryana* et *V. madagascariensis* vivent en compagnie des baobabs. Des travaux récents ont conduit à découvrir chez certaines orchidées des modes de fonctionnement physiologique propres aux végétaux spécifiques des milieux arides.

Parmi les Orchidacées dont les exigences sont spécifiques, on peut encore citer *Microcoelia guyoniana*, épiphyte de milieux forestiers africains, totalement dépourvu de tiges et de feuilles et dont la fonction chlorophyllienne s'exerce au niveau des racines* aériennes. Il arrive souvent que les échecs dans la culture de ces plantes résultent d'une ignorance des facteurs écologiques de leurs biotopes. Ainsi, même *Phalaenopsis* ou *Brassavola*, cultivés en serre, devraient normalement bénéficier de périodes de repos. Il est intéressant aussi de découvrir les associations naturelles entre diverses familles : ainsi, la belle orchidée malgache *Cymbidiella rhodochila* vit en compagnie de la fougère *Platycerium madagascariense* qui, elle-même, se développe sur *Pandanus utilis* ou vaquois, arbre malgache dont les feuilles servent à la confection des paniers. YD

CANOPÉE
Le sommet de la forêt tropicale

Les plantes à fleurs, les Phanérogames, ne peuvent vivre au-dessous d'un certain seuil de lumière. Dans les forêts tropicales, les sous-étages sont très pauvres en lumière* et pourtant, ces forêts abritent de nombreuses orchidées qui, avec des plantes grimpantes, s'épanouissent au-dessus des autres étages. Les arbres, dans les forêts primaires notamment, forment une canopée – ou étage sommital – presque fermée, à la partie supérieure de laquelle les insectes et les fleurs prolifèrent. Pour un botaniste, un arbre tombé est une aubaine parce qu'il rend accessibles ces plantes ; hormis cette circonstance, il faut de bons grimpeurs, capables d'aller chercher les végétaux à des hauteurs considérables.
En 1977, des ballons météorologiques groupés ont permis de photographier la canopée, les masses diffuses de lianes et d'épiphytes*. En 1978, au Gabon, a été réalisée une mosaïque photographique de la partie supérieure de la forêt. Peu de temps après, Francis Hallé, botaniste à Montpellier, et son équipe ont réussi à accéder à ce même niveau au-dessus de la forêt, en se posant en douceur à partir d'un dirigeable, le Radeau des cimes. Récemment, dans une réserve au Panama ainsi qu'au Venezuela, des botanistes américains ont mis en place des grues avec passerelles avançant à 100 m sur la canopée, ainsi, la stabilité est davantage assurée. YD

Double page suivante : *Cattleya intermedia*, var. *aquini* 'Rose', Brésil.

Arbrissage du Radeau des cimes, Guyane, 1986.

Portrait de Carl von Linné, 1849 d'après Lorenz Pasch. H/t 115 × 90. Musée national du château de Versailles.

Chasseur d'orchidées

Si les orchidées terrestres* autrefois ne présentaient pas un intérêt particulier aux yeux des horticulteurs, la découverte des espèces épiphytes*, tropicales, par contre, déclencha des passions et ouvrit, pour certains, des perspectives de gains considérables.

Les orchidées tropicales commencèrent à pénétrer en Europe au XVIe siècle mais il s'agissait alors de récoltes botaniques conservées en herbiers. Pour obtenir des fleurs vivantes d'orchidées, il fallait apprendre à les transporter, à les cultiver et à les multiplier. La passion qui saisit au XIXe siècle l'Europe pour ces fleurs étranges ne pouvait attendre le résultat des recherches menées par les scientifiques et des hommes d'affaires dépêchèrent outre-mer des « chasseurs d'orchidées », chargés de ramener à tout prix des spécimens rares. Les chasseurs d'orchidées étaient des personnages intrépides et sans scrupules et leurs méthodes, si elles permirent à certains de s'enrichir, furent désastreuses pour l'environnement – forêts pillées, prélèvements de colonies entières d'espèces rares, pertes considérables de fleurs transportées dans les cales des navires. L'Anglais Nathanaël Ward fit construire, dans les années 1830, une petite serre en bois et verre, semblable à celle inventée par André Thouin en 1785 (voir Jardinier voyageur), pour résoudre le problème du transport des plantes.

Les travaux de Noël Bernard* et ceux de Neumann* permirent de réaliser la culture et l'hybridation* des orchidées, mettant un terme aux entreprises des chasseurs d'orchidées. De nos jours, on ne prélève plus des plantes dans la nature pour en tirer profit sans discernement et les orchidées figurent parmi les espèces protégées*. Les buts des botanistes actuels comme ceux d'antan sont liés à la connaissance de la biologie des orchidées : délimitation des aires de répartition, écologie, observations relatives aux cycles biologiques, études anatomiques, envois de plantes vivantes en serre* afin d'obtenir des floraisons* et mises en herbiers dans les principaux jardins* botaniques du monde. YD

Classification

Le règne végétal comporte plusieurs *embranchements,* les Bactéries, les Algues, les Champignons, les Lichens, les Mousses, les Fougères et les Spermatophytes. Ce dernier embranche-

Vente d'orchidées sauvages sur un marché de Bangkok, Thaïlande.

CITES : UNE CONVENTION POUR

L'homme porte la responsabilité de la disparition d'un si grand nombre d'espèces végétales que des mesures ont dû être prises pour préserver celles qui subsistent.

En 1973 fut signée à Washington une Convention sur le Commerce international des espèces de faune et de flore sauvages menacées d'extinction *(Convention on International Trade in Endangered Species,* CITES*)*, convention ratifiée par 122 pays. Selon la CITES,

ment qui apparaît comme le plus évolué – les végétaux qui le composent se reproduisent par graines* et sont des plantes à feuilles –, comporte deux *sous-embranchements* :
– les Gymnospermes possédant des ovules (puis des graines après fécondation*) nus et portés sur des feuilles carpellaires regroupées en cônes. Ce sont les *conifères* ;
– les Angiospermes dont la fleur possède un ovaire renfermant un ou plusieurs ovules qui, une fois fécondés, donneront des graines. L'ovaire devient un fruit. Ce sont les *plantes à fleurs.*
L'embranchement des Angiospermes est à son tour divisé en deux *classes* : les Dicotylédones qui ont deux cotylédons (premières feuilles embryonnaires de la plantule) et les Monocotylédones qui ont un seul cotylédon, des feuilles à nervation parallèle ainsi que des fleurs généralement trimères (trois sépales, trois pétales, plus trois étamines et trois carpelles).
La classe des Monocotylédones est divisée en *ordres* : les Arales *(Arum),* les Graminales (Graminées), les Cypérales *(Carex),* les Juncales (Joncs), les Liliales (Lis, Tulipes) et les Orchidales. L'ordre des Orchidales comprend deux *familles* : les Aposta-

LA SAUVEGARDE DES ESPÈCES MENACÉES

« les végétaux sont classés en trois annexes, de 3 à 1 selon leur degré de plus grande rareté. Actuellement, dix espèces d'orchidées exotiques et toutes les espèces indigènes européennes sont classées en Annexe 1. Il est interdit de collecter, détenir, vendre, importer ou exporter des spécimens sauf autorisation exceptionnelle ».
Le commerce des plantes issues de culture est autorisé avec un certificat CITES (voir adresse dans Guide pratique). Lors d'un achat à l'étranger, il faut obtenir le permis d'exportation auprès du vendeur, puis contacter le bureau de la CITES à Paris pour une demande d'importation qui permettra le passage en douane.
Un certificat d'exportation du vendeur suffit pour acheter des plantes dans un autre pays de la Communauté européenne. Les semis et les plantules en flacons accompagnés d'une facture d'achat circulent librement. ML

Papillon *Xanthopan morgani praedicta* butinant un *Angraecum sesquipedale.*

siacées avec 3 genres et 25 espèces que l'on trouve en Indo-malaisie ; les Orchidacées avec plus de 750 genres et près de 30 000 espèces connues, constituent une des familles les plus nombreuses du règne végétal. Elles se distinguent des autres Monocotylédones par une structure* florale et une biologie particulières. Linné, au XVIIIe siècle, a défini la notion de *genre* et d'*espèce* : le genre regroupe plusieurs espèces ayant des caractères communs mais une espèce peut avoir une ou plusieurs *sous-espèces, variétés* ou *formes* lorsqu'elle possède des populations ou des individus présentant des caractères particuliers. JCG

COÉVOLUTION
Le végétal et son hôte

Le processus de la fécondation* des orchidées terrestres implique une relation étroite entre ces plantes et les insectes* participant à la pollinisation*. Au cours de l'évolution, cette relation étant indispensable, le végétal et son hôte ont adapté leurs usages et les ont modifiés parallèlement.

Des études récentes ont conduit à savoir que chaque fleur peut mimer à la fois la taille, la forme, la couleur, la pilosité et même l'odeur des femelles de ces insectes dont le mâle est l'agent véhiculant le pollen. Il est remarquable de voir chez les orchidées dont les fleurs ont des structures* si particulières, s'associer des facteurs morphologiques, donc visuels, à d'autres, chimiques : acquis étonnamment ajustés au cours de l'évolution. Mais il n'est rien dans le monde du vivant qui soit d'une rigidité permanente et il existe des exceptions aux règles. Ainsi, dans certaines contrées des régions tempérées, des *Ophrys apifera* parviennent à s'autoféconder quand ils ont perdu leur partenaire sexuel, l'insecte pollinisateur.

Il est encore un remarquable exemple de coévolution, celui-là non lié à la fécondation. Chez *Schomburgkia*, au Mexique, les cavités des pseudobulbes* sont colonisées par des fourmis, les *Neoponera villosa* ; l'association est à bénéfice réciproque : l'orchidée met à la disposition des fourmis un logement ou *myrmécodomatie* et bénéficie de l'azote contenu dans les déjections. En l'état actuel de nos connaissances, on ne peut que constater ce phénomène complexe de coévolution sans pouvoir totalement l'expliquer. YD

Collection

Une collection d'orchidées commence dès l'achat de la deuxième plante ! Ensuite il s'en trouvera toujours une autre si attirante qu'elle déclenchera une irrésistible envie de la posséder.

Au XIXe siècle, l'*orchidomania* qui saisit l'Europe était l'apanage de quelques richissimes amateurs. Posséder une collection, à l'époque, conférait un statut social au propriétaire mais exigeait de lui un investissement financier important : ainsi, lord Cavendish dépensa une fortune pour acquérir des plantes, appointer ses « chasseurs*» d'orchidées et faire construire une immense serre* (près de 4 000 m^2) pour abriter ses plantes. En 1867, l'impératrice Eugénie, qui possédait une fort belle collection d'orchidées, profita de l'Exposition universelle de Paris pour acquérir un *Cattleya trianae* au prix considérable de 18 000 F. Cependant, tous les collectionneurs n'obéissaient pas uniquement à un phénomène de mode et certains d'entre eux furent de véritables amateurs passionnés.

Des collections exceptionnelles se constituèrent ; les grandes serres du XIXe siècle en témoignent : celles de Rohault de Fleury au Muséum national d'Histoire naturelle, à Paris, en 1834, de Kew Gardens à Londres en 1844, le Crystal Palace de Paxton en 1851. En 1859, le président du Sénat à Paris fit construire, au Jardin du Luxembourg, une serre spéciale pour y accueillir une riche collection d'orchidées. Mais c'est sans doute à Laeken, près de Bruxelles, que fut édifiée, en 1865, la plus grandiose maison de verre pour y abriter des orchidées. Léopold II était si épris d'exotisme végétal qu'il mourut dans l'une de ses serres.

De nos jours, la démocratisation de la culture des orchidées qu'ont permis les techniques modernes de multiplication en grand nombre – et, en particulier, la culture de méristèmes* – fait que de nombreux inconnus possèdent des collections fabuleuses. La question que l'on peut se poser est : pourquoi justement des orchidées ? Les raisons sont inexplicables ou alors tiennent en un mot : la passion. Certains succombent au charme de la floraison ou aux secrets de leur culture. Quoi qu'il en soit, que l'on soit passionné par les orchidées hybrides ou botaniques, il s'agit toujours d'une véritable histoire d'amour. ML

L'Impératrice Eugénie (détail), par Édouard Dubufe, 1853. Musée national du château de Compiègne.

Cattleya trianae.

COMPOST

Les premières orchidées ont été cultivées dans un mélange de bois pourri et de feuilles, les pots enfoncés dans de la sciure chauffée. Elles y sont mortes par asphyxie des racines*. Lorsque l'on comprit enfin le caractère épiphyte* de nombreuses orchidées, on en vint à composer (d'où vient le terme de compost) des substrats de plus en plus aptes à recréer la circulation d'air nécessaire aux racines. Les composts modernes, créés il y a un peu plus de vingt ans, ont démocratisé la culture des orchidées. Ils sont formés d'un mélange de plusieurs matériaux beaucoup moins chers que les fibres de fougère (osmonde) et les sphaignes employées initialement.

Deux catégories de substrats sont utilisés en Europe : à base d'écorces de pin ou de laine de roche. En France, on préfère le premier et dans les pays anglo-saxons, le deuxième. Les deux composts conviennent à la majorité des orchidées. La laine de roche est mélangée à des morceaux de polystyrène expansé ou utilisée seule. Le substrat élaboré à partir d'écorces de pin, de mousse de polyuréthane et d'un peu de tourbe, s'achète tout prêt. Les orchidéistes le proposent en trois granulométries différentes : grosse, moyenne et fine. La taille des morceaux d'écorce de pin doit être adaptée à celle des plantes et des racines. L'avantage de ce compost est qu'il retient assez d'humidité* autour des racines sans les asphyxier. Mais il se décompose en deux ou trois ans sous l'action des bactéries et il faut le remplacer. Par contre, une plante peut rester jusqu'à cinq ans dans la même laine de roche, matériau inerte. Dans les pays tropicaux, on se sert des matériaux locaux – cosses de cacahuètes, fibres de coco…

Certaines orchidées détestent le compost et ne se plaisent que sur des plaques de liège nues ou recouvertes d'une mince couche de sphaignes. Les racines s'accrochent au support. La laine de roche peut aussi être découpée en plaques : les racines pénètrent dans le matériau et y trouvent une humidité résiduelle qui convient bien aux racines fines. D'autres orchidées ont besoin de paniers ou de pots ajourés pour permettre une circulation d'air maximale *(Vanda)* ou le passage des hampes florales qui émergent entre les racines *(Stanhopea)*. ML

Cymbidium hybride.

Nettoyage
des racines
d'un *Phalaenopsis.*

Au moment du rempotage,
bien faire entrer le substrat
entre les racines.

Composts de différentes
granulométries utilisés selon
la taille des racines et des pots.

Charles Darwin. Photographie de Julia Margaret Cameron. Stapleton Collection.

Étiquette d'expédition de Vanille Bourbon, v. 1950. Grasse, musée international de la Parfumerie.

CRUS VANILLIERS
Mexique ou Bourbon ?

Des trois vanilles* commerciales, l'espèce *Vanilla fragrans* est la plus estimée. La longueur de ses gousses*, sa richesse en vanilline la font préférer aux *Vanilla pompona* et *Vanilla tahitensis* dont la fragrance est dominée par l'héliotrope.
Communément appelée vanille du Mexique en raison du lieu de sa découverte (voir Nouveau Monde), elle prit jusqu'au milieu du XIXe siècle, les noms de vanille légitime, vanille Ley, vanille lec ou vanille givrée.
Après 1830, date de la découverte de la fécondation* artificielle par Joseph Neumann*, la mise en culture de l'espèce dans les colonies tropicales s'intensifie soutenue par une économie* de plantation. En 1848, l'île Bourbon (actuelle île de la Réunion) exporta 50 kg de gousses. En 1875, l'île de Nossi-Bé (Madagascar) en produisit 20 kg. Dès lors, la dénomination vanille mexicaine ne suffit plus, les gousses de l'espèce *Vanilla fragrans* furent nommées en fonction du terroir producteur.

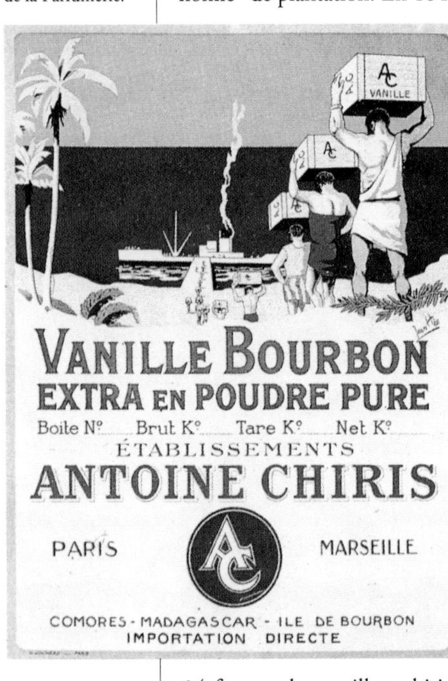

En 1897, le Mexique assurait la moitié de la production mondiale de vanille, soit 150 t ; en 1914, les colonies françaises couvraient les trois cinquièmes de la demande. La vanille produite au Mexique bénéficiait d'une préférence nette des consommateurs. Les gousses mexicaines étaient achetées 40 à 70 fr le kg contre 27 à 30 fr pour les gousses produites à l'île Bourbon et 23 à 24 fr pour les vanilles tahitiennes. La différence de qualité entre les productions de l'île Bourbon et celles du Mexique relevait essentiellement des techniques de préparation des gousses.
Dès 1939, la production mexicaine, malgré les facilités accordées aux investisseurs, était largement dépassée par celle des terroirs pacifiques et indiens puisque Madagascar produisait 400 t de gousses de vanille, Tahiti, les Comores et le Mexique, 100 t chacun, la Réunion, 50 t, Nossi Bé, 35 t, la Guadeloupe, 12 t. Les différences de qualité avaient été gommées et la vanille de la Réunion, aujourd'hui connue sous le label de Vanille Bourbon, passait déjà pour une des productions les meilleures. GC

Coryanthes macrantha. Planche extraite de J.-J. Linden, *Pescatorea, iconographie des orchidées,* Bruxelles, 1860.

■ Darwin (Charles)

Jusqu'à la publication en 1859 de l'*Origine des espèces* du naturaliste anglais Darwin, les botanistes avaient souligné la ressemblance de nombreuses espèces d'orchidées des climats tempérés avec des insectes* mais la fécondation* croisée restait ignorée.

Charles Darwin (1809-1882) étudie l'évolution conjointe des orchidées et de leurs pollinisateurs à partir des observations originales faites par le botaniste Crüger sur une orchidée exotique, *Coryanthes*, originaire du Honduras et du Brésil, qui développe des fleurs présentant un labelle* formant un réservoir souvent rempli d'eau. Cette eau s'écoule depuis deux organes en forme de corne situés au-dessus du « bassin » visité par des bourdons qui, ayant leurs ailes trempées, sont contraints à passer par un canal inclus dans la fleur. Ainsi, Crüger avait observé une procession de bourdons transportant avec eux du pollen.

Une autre observation de Crüger, relative au genre *Catasetum*, orchidée originaire de l'Amérique tropicale, révélait l'existence d'un organe désigné *antenne* qui, dès qu'on le touche, fait mouvoir un ressort projetant le pollen dans la direction de l'insecte au dos duquel il adhère grâce à une sécrétion visqueuse.

Ces diverses informations ouvraient un nouveau champ de travail pour Charles Darwin et, en 1862, il publia *De la fécondation des orchidées par les insectes et des bons résultats du croisement* qui établissait définitivement que les orchidées observées pratiquaient la fécondation croisée par l'intermédiaire des insectes. YD

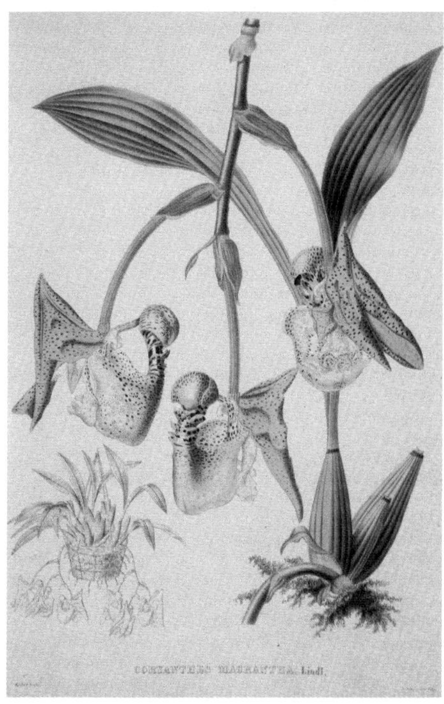

Dioscoride

Les Asiatiques ont devancé les Occidentaux dans la connaissance des orchidées. Ainsi en est-il sans doute grâce à la richesse des flores de Chine et du Japon en plantes appartenant à cette famille. De nombreux siècles avant J.-C., les orchidées étaient, en Extrême-Orient, au nombre des composants de la matière médicale. Parmi elles, les *Bletilla* et les *Dendrobium* avaient même droit à une consécration d'ordre religieux.
Le philosophe grec Théophraste (372-287 av. J.-C.), qui écrivit plusieurs traités de botanique, est sans doute le premier à mentionner un groupe de plantes qu'il dénomme *orchis*, en grec testicule, du fait de la forme particulière des tubercules*. Mais, parmi les naturalistes grecs, le médecin Dioscoride, né près de Tarse au début du Ier siècle après J.-C., était certainement celui qui en avait la meilleure connaissance. Soldat, il s'intéressa à la botanique et, sous le règne de Néron, il écrivit *De Materia medica*, œuvre en cinq volumes comportant 506 descriptions de plantes. L'orchidée, appelée par Dioscoride *priapiskos*, petit satyre ou petit Priape, le Satyrion des Anciens, était l'*Orchis italica* syn. *Orchis longicruris*. Cette espèce présente en Crète, en Grèce et jusqu'au Portugal, a longtemps impressionné les esprits : les fleurs réunies en pyramide, découpées en segments, ressemblant à des bras, des jambes et un appendice caudal, simulent des hommes minuscules apparaissant ainsi au printemps dans les champs. YD

Dioscoride, *De Materia medica.* Manuscrit seldjoukide, 1228. Istanbul, bibliothèque du Palais de Topkapi.

DISTRIBUTION GÉOGRAPHIQUE
Dans toutes les régions du monde

Avec environ 30 000 espèces, plus de 750 genres, la famille des Orchidées se situe parmi les plus importantes dans le règne végétal. Les orchidées sont partout hormis les régions polaires. Les régions du globe les mieux pourvues sont l'Asie avec ses prolongements insulaires et l'Amérique, mais il existe de très nombreux territoires privilégiés, tel Madagascar où ces plantes se sont diversifiées, donnant des genres et des espèces particuliers.
Les orchidées asiatiques ont assez souvent leurs territoires confondus avec ceux de l'Indonésie ; leur richesse est surprenante. Les *Cymbidium* sont répartis de l'Himalaya à la Chine, à la Corée et jusqu'au Japon. Les *Dendrobium* sont des épiphytes* qui regroupent 900 espèces rencontrées en Inde, en Chine, au Japon, en Malaisie, aux Philippines et jusqu'en Australie et Nouvelle-Zélande. Les *Paphiopedilum*, terrestres* ou semi-terrestres, tout comme les *Phalaenopsis*, répandus de l'Inde aux Philippines, sont très recherchés par les hybrideurs*. Enfin, parmi les genres majeurs de l'Asie, les *Vanda* sont répandus de l'Inde à Taiwan et jusqu'en Australie.
Les orchidées d'Amérique sont extrêmement abondantes. Les *Odontoglossum* dont le labelle* porte des callosités en forme de dents, sont représentés par plus de 100 espèces. C'est de ce même continent que sont originaires les *Cattleya*. On en a décrit 65 espèces mais ces plantes ont donné lieu à un nombre important de croisements, y compris avec d'autres genres américains tels les *Laelia*, qui ont apporté aux hybrides une diversité exceptionnelle de coloris, les *Brassavola* ou les *Epidendrum*. De ce dernier genre, prolifique de la Caroline à l'Argentine, on a découvert près de 1 000 espèces.
L'Afrique, si riche par ailleurs sur le plan botanique, n'est pas le continent le plus représentatif pour cette famille. Les orchidées africaines sont parfois de culture délicate mais les *Angraecum* sont des plantes superbes, tout comme les *Ansellia*, les *Eulophia* et les *Disa* qui développent des fleurs d'une beauté exceptionnelle.
L'Europe et la périphérie de la Méditerrannée comptent quelques centaines d'orchidées exclusivement terrestres ; le genre *Ophrys* est le plus remarquable. YD

Économie coloniale

Trois siècles durant, sous forme de gousses* pour le commerce ou sous forme d'échantillons (fruits, boutures) pour les herbiers des botanistes, la vanille*, fruit de l'orchidée mexicaine *Vanilla*, prit le chemin de l'Europe*, du Mexique vers l'Espagne, des Antilles* vers l'Angleterre et la France. Malgré les importations répétées de fruits et de boutures, aucune plante introduite en culture ne réussit à fructifier pour contrer le monopole des colonies espagnoles du Mexique.

En 1720, un premier pied de vanillier poussa en dehors de l'aire américaine d'origine, à Cadix. En 1812, des boutures furent envoyées au Jardin botanique* d'Anvers, qui les transmit ensuite aux serres* de Bruxelles, Louvain, Gand, Liège et Paris.

Les années 1820 marquèrent les premières tentatives d'introduction de la culture des vanilliers dans les colonies tropicales (Java, 1819, île Bourbon, 1819, 1820 et 1822) que les puissances coloniales voulaient mettre à profit. Jusqu'à la découverte du principe de la fécondation artificielle par Neumann* en 1830, aucune récolte ne fut produite en dehors de la sphère d'influence espagnole. Après cette date, la vanille fut introduite et cultivée à Tahiti (1848), en Nouvelle-Calédonie (1861), aux Seychelles (1866), à Nossi-Bé (1870), dans les Comores (1873), l'île Maurice (1880) et Madagascar (1891). Les voyages de la vanille s'achevaient, la dissémination internationale de la plante était terminée après un intermède européen qui assura le développement des connaissances et des techniques nécessaires à son introduction dans de nouveaux biotopes*. En découvrant l'intérêt économique de la vanille, les Européens ont bouleversé l'aire de distribution originelle des vanilles sauvages à fruit aromatique jusqu'à transformer en terroir vanillier (voir Crus) des régions nouvellement conquises qui en étaient jusque-là dépourvues. GC

Culture de la vanille sur l'île de la Réunion.

Page de gauche : *Cattleya velutina*, Amérique du Sud.

« En unissant le privilège d'être une Orchidée […] au parti que le commerce et la gastronomie tirent de ses fruits, le Vanillier paraît comme un symbole inventé par l'Homme pour rendre hommage à la Nature qui lui a prêté l'occasion d'unir le beau à l'utile. »

Gilbert Bouriquet, 1954.

ENGRAIS

Dans la nature, l'humidité* ambiante et les matières végétales en décomposition dispensent aux orchidées les nutriments nécessaires. Les composts* n'ont pas cette capacité et il faut donc pallier ce manque en fertilisant régulièrement les plantes cultivées. L'engrais est un composé d'azote (N), de phosphore (P) et de potassium (K). On peut aussi utiliser des engrais organiques : guano, cendre, sang séché, etc., à condition de supplémenter dans les trois éléments N, P et K. L'importance de la fertilisation est fonction des conditions de culture*. Les orchidées empotées dans de la laine de roche doivent être fertilisées souvent pour compenser la pauvreté du substrat. Celles qui sont cultivées dans un compost à base d'écorces de pin demandent un peu plus d'azote car les bactéries responsables de la détérioration de ce substrat absorbent une partie de l'azote dont dépend la croissance de la plante et l'on utilisera, à partir de l'été, un engrais plus

Ferme à orchidées,
Thaïlande, province de Chiang-mai.

riche en potassium (K), favorisant la floraison*. Les plantes cultivées en appartement se satisfont d'une fertilisation pendant la saison de croissance, du printemps à la fin de l'été. Dans une serre*, il faut réduire les apports d'engrais, voire les supprimer en hiver. Les orchidées cultivées sur plaques et en suspension pourront être fertilisées lors des vaporisations à l'engrais habituel ou foliaire, fortement dilué. Les orchidées indigènes*, quant à elles, n'ont besoin de rien. Elles se contentent de ce qu'elles trouvent dans leur substrat tout comme leurs consœurs sauvages. On ne fertilise pas une plante malade, en période d'acclimatation* ou de repos (variable selon les espèces).

En fait, les orchidées sont moins gourmandes que les autres plantes à fleurs et trop d'engrais peut leur nuire. L'accumulation des sels minéraux sur les racines* les fait brunir et les brûle, pouvant entraîner la mort de la plante. Pour éviter cela, il faut toujours arroser avant de fertiliser et diminuer la dose prescrite. ML

Microcoelia guyoniana.

Page de droite : *Vanda tricolor.*

Épiphyte

Plus de la moitié des espèces d'orchidées vivent dans les zones tropicales et subtropicales et les trois quarts sont des plantes épiphytes (du grec *épi*, qui veut dire sur, et *phyte*, végétal), c'est-à-dire des plantes qui vivent sur un végétal, l'utilisant comme support mais sans le parasiter comme on le pensait autrefois. L'épiphytisme apparut au cours de l'évolution. Du fait de la luxuriance de la végétation tropicale et de la rapidité du recyclage des matières en décomposition, le sol est souvent pauvre en nutriments. De plus, dans ces forêts, le soleil traverse difficilement les différentes couches végétales. Les orchidées sont des filles de l'air et la canopée* où elles sont en

général installées leur en offre en abondance.

Tous les épiphytes ne se ressemblent pas. Certains se plaisent dans un léger support d'humus, accumulation de débris organiques et minéraux arrêtés par les creux de l'écorce. Certains épiphytes ont des racines* aériennes bien charnues, parfaitement adaptées à la vie aérienne et capables de s'agripper étroitement au support, qu'il soit arbre, panier ou pot de culture *(Vanda, Phalaenopsis, Cattleya...)*. D'autres, au contraire, émettent un chevelu très fin mais fourni qui les tient et permet de capter un maximum d'humidité* *(Oncidium, Maxillaria)*. Certaines racines ne servent apparemment qu'à soutenir la plante.

Les orchidées épiphytes tropicales, par la beauté surprenante de leurs fleurs et l'étrangeté de leurs longues racines aériennes, exercèrent un tel attrait sur les voyageurs occidentaux que se développa, dès le XVIIIe siècle, un véritable commerce qui culmina, au XIXe siècle, avec l'emploi des « chasseurs* d'orchidées ». ML

Epidendrum, Martinique.

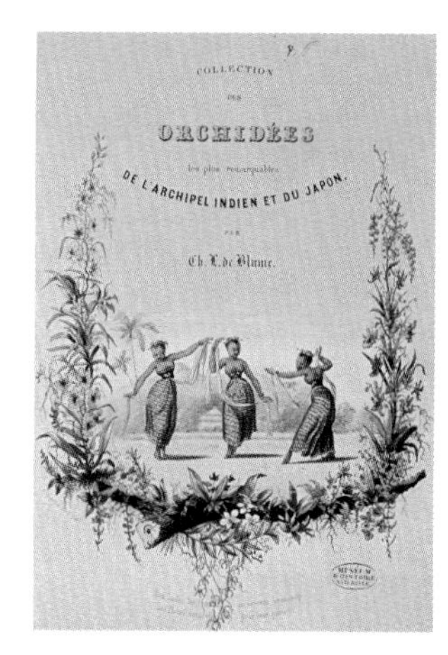

Page de titre de l'ouvrage de Karl Ludwig de Blume, *Collections des orchidées les plus remarquables de l'archipel indien et du Japon*, Amsterdam, 1858.

Europe (introduction en)

Selon Marcel Lecoufle, éminent orchidéiste, la première orchidée tropicale introduite en Europe aurait été *Brassavola nodosa*, originaire de Curaçao, cultivée en 1698 chez Casper Fagel aux Pays-Bas. Puis, *Bletia purpurea* fleurit pour la première fois en Angleterre en 1732. Les orchidées vivantes importées en France arrivaient surtout par les ports de Nantes, de Bordeaux et de Brest. Simultanément, ces plantes entraient en Angleterre, en Allemagne, en Hollande et en Russie.

Orchidées asiatiques et américaines affluèrent ensuite rapidement et les connaissances botaniques prirent un grand essor. L'ouvrage *The Genera and species of Orchidaceous*, dû à John Lindley, botaniste anglais, parut en 1830 et la propre collection de Lindley fut bientôt acquise par Kew Gardens. Lindley étant secrétaire de la Société royale d'Horticulture, la culture des orchidées reçut une forte impulsion en Angleterre. En 1840, on connaissait déjà 3 000 espèces appartenant à cette famille végétale. Un peu plus tard, Jean-Jules Linden en Belgique puis Cogniaux et Goossens en France publièrent respectivement la *Lindenia* et le *Dictionnaire iconographique*, éditions prestigieuses à la fois sur les plans botanique et horticole. Pendant ce temps-là, le Muséum national d'Histoire naturelle réalisait, à propos des orchidées, des publications à caractère surtout scientifique. YD

Fécondation

Voir Pollinisation

Fleur.

Voir Structure florale

Floraison et fructification

Dès l'automne, certains groupes d'espèces d'orchidées européennes (dont les *Ophrys*) émettent une petite rosette de feuilles qui subsistera pendant tout l'hiver. La floraison des orchidées les plus précoces peut commencer en janvier. C'est en mars et avril qu'a lieu la floraison des espèces méditerranéennes, en mai et juin celle de la plupart des autres espèces. Cette floraison se poursuit jusqu'en juillet et, dans une moindre mesure, en août pour les espèces d'altitude et certaines espèces forestières tardives. Enfin, c'est en septembre et octobre que fleurit le spiranthe d'automne.

Si les conditions climatiques leur sont favorables, les orchidées peuvent fleurir chaque année. Dans de mauvaises conditions, certaines orchidées autogames – capables de s'autoféconder – fleurissent et fructifient sous terre comme *Neottia, Corallorhiza, Epipogium.*

Après sa floraison, si la pollinisation* de la fleur a eu lieu, l'ovaire gonfle et forme un fruit. Le fruit est une capsule à trois valves qui, une fois sèche, éclate et libère des milliers de graines* minuscules.

Cypripedium calceolus, le sabot de Vénus en bouton, Savoie.

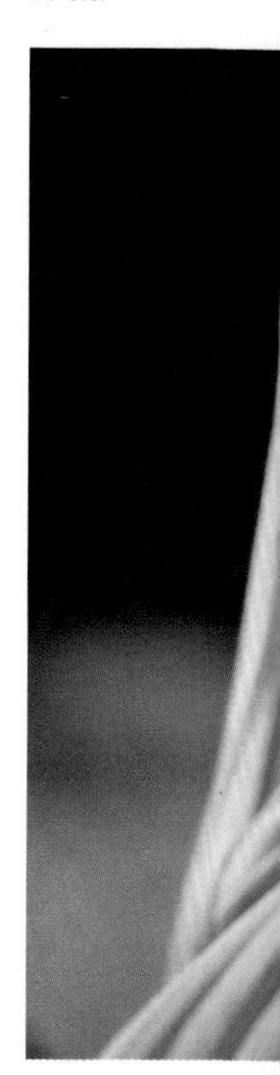

Encyclia vitellina, Mexique et Guatemala.

Parmi celles qui sont viables, toutes ne trouveront pas un endroit propice à leur germination* et à leur développement. Tout le cycle de la floraison à la graine se déroule sur une période allant, selon les espèces, de quelques semaines à plusieurs mois. Pendant les nombreux mois qui restent, la plante prépare sous terre sa prochaine floraison. JCG

Fongicide. Voir Maladie

Germination

La culture *in vitro*, utilisée pour faire des semis de graines* d'orchidées, requiert quelques manipulations précises et quelques précautions nécessaires pour éviter les maladies* fongiques ou virales redoutables pour les jeunes semis.
On sème des graines dans des flacons, sur un milieu stérile de gélose riche en nutriments, puis on les expose à la lumière*, à 20-22 °C. La germination demande entre dix jours et deux mois. Quinze à dix-huit semaines plus tard en moyenne, les premières pousses et les racines apparaissent, on appelle ces embryons de plante des protocormes. Il leur faut quelques mois supplémentaires, deux à trois changements de flacons pour atteindre une taille suffisante et être sorties définitivement du milieu stérile. Les plantules mesurent entre 3 et 8 cm, ont de 3 à 5 feuilles et quelques racines emmêlées. On les extrait avec précaution en cassant parfois le flacon. On les repique serrées dans une terrine contenant un fin compost* (1 à 2 mm), après les avoir traitées avec un fongicide. Puis on les remet à la lumière, dans une pouponnière séparée, pour éviter toute contamination, chauffée à 23-27 °C le jour, un peu moins la nuit (18-20 °C), et bien humide. Les plantules s'acclimatent* en quelques semaines. Lorsqu'elles ont développé des pseudobulbes* ou sont assez vigoureuses, on les rempote* une par une dans un petit pot de 5 à 7 cm de diamètre empli de compost fin. Chaque nouveau pseudobulbe pousse plus vigoureusement que le précédent puis la plante émet une hampe florale. Entre 2 et 7 ans sont nécessaires pour arriver à ce stade mais on a signalé un *Dendrobium microbulbon* qui a fleuri au bout de 9 mois. ML

Gousse

Improprement appelé gousse, le fruit des vanilliers* est, selon la nomenclature botanique, une capsule – un fruit qui, une fois sec, libère ses graines en éclatant. De couleur jaune verdâtre, elle mesure 10 à 25 cm de long pour 8 à 15 mm de diamètre

Pousse de l'année de *Limodorum abortivum*, le limodore à feuilles avortées, Var.

Fleur de *Vanilla pompona*, Guyane.

chez *Vanilla fragrans*, 12 à 14 cm de long pour 10 mm de large chez *Vanilla tahitensis*, 10 à 12 cm de long pour 16 à 30 mm de large chez *Vanille pompona*.
Deux à trois ans après la plantation, les vanilliers produisent leur première floraison*. Éphémères, les grappes de fleurs vertes durent 8 heures. En dehors de leur aire de distribution naturelle, elles seront fécondées* artificiellement (voir Neumann), à la main, par les « marieuses ». De 7 à 10 mois plus tard, les gousses parviennent à maturité mais ne répandent encore aucune odeur. Une préparation minutieuse des fruits est nécessaire au développement de leur arôme.
Le navigateur anglais William Dampier (1676) au Mexique, le Français Aublet (1775) en Guyane avaient observé les procédés utilisés par les Amérindiens. La teinte brune des gousses et le parfum étaient obtenus par une exposition au soleil, entraînant la dessiccation des gousses ensuite enduites d'huile, ou par leur immersion dans l'eau chaude avant séchage. Humboldt* (1811) et Young (1846) furent les premiers à signaler l'utilisation de la chaleur artificielle (four) pour l'obtention de résultats équivalents. La mise en culture de la vanille dans les colonies tropicales françaises (voir Économie coloniale) favorisa, au XIXe siècle, la recherche sur les techniques de transformation du produit : échauffement à l'eau bouillante, dessiccation par chaleur sèche au four, étuvage, action du froid...
La vanille Bourbon est encore aujourd'hui échaudée durant trois minutes après cueillette puis passe, encore chaude, à l'étuve dans des caisses capitonnées de laine et de plastique (dessiccation). Vient ensuite l'étape du séchage (jusqu'à 6 semaines) en alternance au soleil et à l'ombre, sur des claies. Après lavage, les gousses sont enfermées dans des malles de bois pour « faire leur huile ». Huit mois auront été nécessaires à leur transformation. GC

Graine

On n'achète pas les semences d'orchidée chez un grainetier. Par contre, les associations

Gousses de vanille, Polynésie.

Fruit de *Phaius*, début de déhiscence.

d'orchidophilie ont créé des banques de graines accessibles à leurs membres. De plus, le semis* doit suivre un mode d'emploi si précis qu'il n'intéresse même pas tous les orchidophiles. Après la floraison* et la pollinisation*, le pédoncule de la fleur grossit et se transforme en une capsule, improprement appelée gousse* dans le cas de la vanille*. Le mûrissement prend de 27 jours *(Ludisia discolor)* à 26 mois *(Coelogyne cristata)*. Cette capsule revêt des formes variées. À maturité, elle jaunit et se fendille le long des nervures. À ce stade, dans la nature, le vent dissémine les graines, parfois au nombre de plusieurs millions, infiniment petites, 0,3 à 0,5 mm de longueur pour un poids de 3 à 6 microgrammes. Pour éviter la perte des graines et leur contamination extérieure, préjudiciable à la culture *in vitro* stérile (voir Germination), il vaut mieux ensacher la gousse avant la cueillette. La durée de vie de ces graines n'est que de quelques mois.
L'orchidée appartient aux Monocotylédones (voir Classification) ; la graine ne possède pas de réserves nutritives. La graine est en fait un embryon contenant environ une trentaine de cellules et de vagues nutriments dans une fine enveloppe translucide. Dans la nature, la graine a besoin d'une aide extérieure pour lever. Dès le développement de l'embryon, un champignon y pénètre avec ses filaments de mycélium pour lui fournir la nourriture nécessaire (voir Mycotrophie). Dans la culture *in vitro*, le milieu gélosé, contenant des complexes nutritifs comme le sucre, remplace le champignon. ML

Humboldt-Bonpland

Né en 1769 en Prusse, Alexandre de Humboldt, d'abord ingénieur des mines, consacra son existence et sa fortune aux sciences.
Il se lia d'amitié avec Aimé Bonpland, chirurgien de la marine, né à La Rochelle en 1773. Après des départs manqués, ils réussirent à obtenir la protection de Charles IV, roi d'Espagne, et partirent de Madrid en mai 1799 pour le Venezuela où les récoltes bota-

niques, en particulier d'orchidées, furent considérables. En 1800, leur voyage se prolongea vers Cuba. En 1801, les deux hommes se dirigèrent vers la Colombie puis le Pérou, en pays inca et à Mexico.
En 1804, à Cuba, ils retrouvèrent les trente-cinq caisses d'herbiers résultant des précédentes expéditions. On a comparé l'expédition Humboldt-Bonpland à une seconde découverte de l'Amérique : ils rapportèrent 5 800 espèces végétales dont 3 600 étaient alors inconnues. L'ouvrage *Plantae aequinoxiales* publié en 1813, avec 120 planches dessinées par Turpin et Poiteau, illustrent des orchidées parmi les plus belles du Venezuela.
Au retour de l'expédition, Bonpland devint intendant de La Malmaison où, conformément aux désirs de l'impératrice Joséphine, il acclimata, sous serre, de nombreuses plantes tropicales : lianes, arums, cactus, orchidées... YD

Friedrich Georg Weitsch, *Humboldt et Bonpland au pied du Chimborazo en Équateur*, 1806. H/t. Berlin, Schloss Tegel.

HUMIDITÉ

Hormis certaines espèces présentant des caractères spécifiques d'adaptation à la sécheresse, les orchidées aiment une humidité ambiante élevée. Au niveau de l'équateur, l'hygrométrie est stable mais, plus on s'en éloigne, plus elle varie selon les saisons. Une plante à pseudobulbes* ou à feuilles dures a besoin de moins d'humidité qu'une plante sans pseudobulbe ou avec des feuilles tendres. Dans la maison, les orchidées s'épanouissent dans une atmosphère contenant 60 % d'humidité. Pour la bonne santé des plantes, ce taux d'humidité ne doit pas descendre en dessous de 40 %. Une hygrométrie élevée autour des plantes diminue la perte en eau par évaporation. Le dessèchement des orchidées ne peut en aucun cas être compensé par des arrosages* plus fréquents, qui feraient pourrir les racines*.

Des moyens peu onéreux peuvent améliorer sensiblement le confort des plantes. On peut les installer dans des grandes soucoupes à haut rebord (il en existe avec des rebords d'envi-

ron 4 cm). On recouvre le fond du contenant d'une bonne épaisseur de billes d'argile que l'on arrose en laissant 1 cm d'eau au fond. En s'évaporant, l'eau crée une humidité qui enveloppe les orchidées. Les pots sont posés sur les billes mais jamais dans l'eau (ill. p. 33).

Les orchidées aiment le voisinage d'autres plantes comme les fougères par exemple (voir Biotope), pour maintenir ce microclimat qu'elles affectionnent. L'ensemble soucoupe-plantes peut être posé sur un rebord de fenêtre assez large, ainsi les orchidées profiteront en même temps de la lumière*. Une vaporisation journalière d'eau non calcaire, à température* ambiante, leur sera bénéfique. Brumiser le plus finement possible sans diriger le jet sur le cœur des plantes ni sur les fleurs. L'eau stagnante provoque des pourritures, *Phalaenopsis*, *Paphiopedilum* et toutes les jeunes pousses y sont particulièrement sensibles. De même, il ne faut pas vaporiser au soleil pour éviter les taches de brûlure sur les feuilles. ML

Hybride

John Dominy, jardinier chez le pépiniériste anglais Veitch, ne se doutait pas du pavé qu'il venait de lancer dans la mare des botanistes en faisant fleurir, en 1861, un *Laeliocattleya*, premier hybride intergénérique – entre genres différents (voir Classification) – issu du croisement de *Cattleya* et *Laelia*. On cria à l'accouplement contre nature ! En 1856, il avait déjà obtenu la floraison* d'un croisement interspécifique – entre espèces différentes – entre deux *Calanthe*. Aujourd'hui, le rythme des créations est de plusieurs milliers par an, associant parfois des ascendants de cinq genres différents. Les noms sont déposés sur la Liste Sander des Orchidées hybrides à la Royal Horticultural Society. L'horticulteur Sander s'était, dès 1906, chargé de recenser les noms des divers hybrides, de leurs parents et du créateur. Il y a environ 100 000 hybrides enregistrés. Ces plantes sont parfois stériles et ne peuvent alors être reproduites que par méristèmes*. Dans la nature, les orchidées indigènes* ou exotiques s'hybrident parfois spontanément (voir Insecte). L'hybridation était d'abord destinée à la culture des fleurs coupées mais, avec les découvertes sur les cultures *in vitro* et méristématique, elle permit aussi la culture de plantes vendues en pots. La majorité des orchidées proposées actuellement sont des hybrides de *Cymbidium*, *Phalaenopsis*, *Cattleya*, *Epidendrum*, *Paphiopedilum*, *Miltonia*, *Dendrobium* et *Oncidium*. Les hybrides, souvent boudés par les collectionneurs*, sont pour-

En haut à gauche : *Ophrys ciliata*, Sicile.

En haut à droite : *Ophrys lutea*, Aude.

En bas : Hybride *Ophrys ciliata* × *Ophrys lutea*, Aude.

tant des plantes dignes d'intérêt. Les créateurs-hybrideurs les élaborent pour la longévité et la beauté de leur floraison, mais aussi pour leur résistance et leur adaptabilité aux conditions qu'elles trouveront chez les acheteurs. Le nom d'un hybride est formé en contractant celui de ses parents, ou alors en en créant un nouveau, comme *Vuylstekeara* ou *Wilsonara.* De 4 à 10 ans s'écoulent entre la pollinisation* croisée et la mise sur le marché de la plante. ML

■ **Indigènes (orchidées).** Voir Inventaire

■ INSECTE : LA FLEUR VISITÉE

Lorsqu'elle ne pratique pas l'autofécondation, la fleur de l'orchidée a besoin de l'insecte pour transporter le pollen, non pulvérulent et agglutiné sous la forme de pollinies, et assurer ainsi une fécondation* croisée (entre deux fleurs différentes). Certaines orchidées attirent les insectes par le nectar parfumé produit par leur éperon nectarifère. Pour les espèces à long éperon, *Gymnadenia, Platanthera* ou *Anacamptis,* ce sont des Lépidoptères (papillons) qui vont se charger des pollinies. En effet, seuls des insectes possédant une longue trompe peuvent atteindre le nectar au fond de l'éperon. Cela ne les empêche pas de visiter également des fleurs à éperon court comme les *Nigritella.* Chez *Anacamptis,* deux lames parallèles situées à la base du labelle* dirigent la trompe du papillon vers l'entrée de l'éperon. Chez d'autres orchidées, le nectar est plus facilement accessible puisqu'il se trouve dans une cupule à la base du labelle. Ce sont essentiellement des insectes appartenant à l'ordre des Hyménoptères, le plus souvent des guêpes, qui visitent ces fleurs.

Guêpe soûlée sur *Epipactis helleborine,* Alpes-Maritimes.

La sophistication du processus de pollinisation – et les stratagèmes qu'il déploie – est telle que chaque espèce d'*Ophrys* attire spécifiquement une espèce d'insecte, rarement plus ! Pour la plupart, ces hyménoptères sont des petites abeilles sauvages appartenant aux genres *Andrena* et *Eucera.* Il arrive parfois que l'insecte pollinisateur se « trompe ». Il visite deux plantes appartenant à deux espèces différentes. Cela donne naissance à un hybride* entre les deux espèces, ce qui ravira le spécialiste en lui offrant une fleur nouvelle ! Parfois ces hybrides se fixent et deviennent une nouvelle espèce. JCG

Brassavola cucullata, Amérique tropicale.

■ INVENTAIRE
La carte de France des orchidées

Combien d'espèces d'orchidées avons-nous en France ?
Si l'on se réfère aux flores générales de notre pays (voir Bibliographie p. 117), pour G. Bonnier (1911 à 1935), 79 espèces, pour H. Coste (1937), 76 espèces, pour P. Fournier (1947), 90 espèces, pour M. Guinochet et R. de Vilmorin (1978), 91 espèces. Dans un guide récent, P. Delforge (1994) donne 120 espèces, plus une quinzaine de variétés.
Faire l'inventaire des orchidées d'un pays ou d'une région revient à en établir la cartographie. L'idée n'est pas nouvelle. Il y a plus d'un siècle, à l'occasion de l'Exposition universelle de Paris, un congrès international organisé par la Société botanique de France lançait l'idée d'une cartographie floristique en réseaux. Il s'agit de quadriller en mailles, selon les coordonnées en latitude et longitude, le territoire à cartographier et de noter la présence de l'espèce dans chacune des mailles en établissant une carte par espèce. L'ensemble des cartes constitue un atlas.
Dans les années 1960, le professeur Pierre Dupont et ses collaborateurs entreprennent ce travail avec l'aide du Muséum national d'Histoire naturelle. En 1990 paraît un *Atlas partiel de la Flore de France,* concernant 645 taxons végétaux (unités systématiques telles que famille, genre, espèce [voir Classification]) dont 18 espèces d'orchidées réparties dans des mailles de 20 km de côté.
Dès 1972, émerge l'idée de la réalisation d'une carte de France des orchidées par le recueil des observations des membres de la Société* française d'Orchidophilie (SFO). En mars 1983, paraît un premier atlas, *Une répartition des orchidées indigènes de France* par Pierre Jacquet qui présente 97 espèces. La troisième édition mise à jour en février 1995 recense 144 espèces.
On remarque que, d'année en année, le nombre de taxons présents en France ne cesse d'augmenter. Il faut y voir l'effet d'une meilleure connaissance des espèces qui permet de diviser certains taxons très polymorphes en plusieurs espèces. Les régions les plus riches de France en nombre d'espèces sont le littoral méditerranéen puis le nombre d'espèces décroît selon une direction nord-ouest. Les Alpes-Maritimes en recensent 85 espèces, l'Aude 80, les Pyrénées-Orientales 79, le Var 76... Quelques espèces sont rares ou très rares. Ce sont certaines espèces méditerranéennes que l'on ne trouve que dans l'extrême sud du pays et en Corse, certaines espèces de montagne et deux espèces des marais dont la survie est gravement menacée.
En 1989, la SFO a été chargée par le ministère de l'Environnement de réaliser une cartographie en réseau pour chaque département, avec l'aide du service du patrimoine naturel de l'Institut d'Écologie et de gestion de la biodiversité du Muséum national d'Histoire naturelle de Paris. JCG

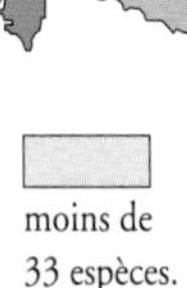

Répartition des orchidées indigènes de France par nombre d'espèces, par Pierre Jacquet, 1995.

moins de 33 espèces.

33 à 52 espèces.

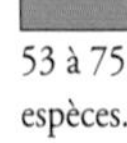

53 à 75 espèces.

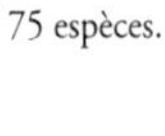

plus de 75 espèces.

Jardinier voyageur

Lors des expéditions scientifiques autour du monde, chaque naturaliste* devait emporter ses instruments de travail ainsi que des présents – souvent des végétaux – pour les indigènes. André Thouin, né en 1747, qui travaillait au Jardin du Roi – devenu, en 1793, Muséum national d'Histoire naturelle –, excellait dans l'art de donner des instructions : par exemple, liste du matériel de travail et d'emballage aux collecteurs de plantes et de graines* et aux jardiniers voyageurs.

André Thouin
Gravure d'Ambroise Tardieu, 1824.

Lors de l'expédition scientifique de La Pérouse en 1785, ce fut à Jean-Nicolas Collignon, jardinier de Thouin, âgé de vingt-trois ans, que l'on confia la mission de jardinier-botaniste. On lui fit emporter : bêches, pioches, serpettes de différentes tailles, arrosoirs, scies à main, 24 boîtes de fer blanc gigognes, des boîtes d'herborisation, loupe à deux lentilles, écritoire, 12 crayons, stylet pour disséquer les graines, rames de papier pour herbier, cueille-fruits et houlettes, des corbeilles de taille variée, des caisses à graines pour des semis et des petites serres* mobiles qui permettaient, avant l'invention de la caisse de Ward (voir Chasseurs), le transport

Samuel Wale (?-1786), *Le Jardin botanique d'Oxford.* Plume et encre noire, lavis gris. Oxford, Ashmolean Museum.

des espèces végétales collectées, dont les orchidées. Les marins au cours des longs parcours souffraient très gravement du scorbut. Thouin réussit de façon remarquable à remédier à cette situation en faisant préparer des caisses-jardinières où Collignon entretint une culture de cresson, de pourpier et de chicorée. Les navigateurs partirent le 17 juillet 1785. L'expédition de La Pérouse disparut, au large de l'île de Vanikoro (Océanie), en 1788. YD

Jardin botanique

La grande majorité des orchidées est représentée dans la nature par des espèces tropicales et subtropicales. Même quand on a le privilège de se rendre dans les formations naturelles, ces plantes sont peu visibles car elles se développent dans les parties hautes des arbres (voir Canopée). Les jardins botaniques jouent un rôle de premier plan en faveur de la connaissance de ces végétaux car, dans les serres*, la plupart des représentants de cette famille sont cultivés efficacement. C'est surtout depuis le XIXe siècle que les plantes tropicales peuvent être multipliées* et prospérer dans des serres. Suivant leur origine, les orchidées sont maintenues dans des serres humides chaudes, ou bien tempérées ou encore en serres froides. Les plantes cultivées dans les jardins botaniques ont servi de matériel d'étude botanique (systématique, génétique, physiologie, etc.) et les serres ont toujours, du fait de leur ouverture au public, un rôle éducatif. De nos jours, les collections végétales sont devenues un élément essentiel de la politique de protection* des espèces, de plus en plus menacées dans la nature (voir CITES).

Les collections* d'orchidées exotiques exigeant des soins très coûteux, le plus souvent quotidiens, assurés par un personnel hautement qualifié, sont généralement isolées des secteurs auxquels le public accède de façon permanente. Les floraisons* étant périodiques, les jardins botaniques organisent régulièrement des expositions. La plupart des orchidées proposées dans le commerce résultent d'hybridations* opérées par des horticulteurs spécialistes et diffèrent des plantes appartenant à des groupes botaniques. Les variétés horticoles ont une vigueur accrue et une durée de floraison prolongée, mais elles représentent mal la diversité observée dans la nature. YD

Serapias sp., Italie, Pouilles.

Platanthera chlorantha, l'orchis verdâtre, Savoie.

Labelle

Le labelle, du latin *labellum*, petite lèvre, est l'un des trois pétales de la fleur de l'orchidée (voir Structure). C'est le plus frappant, il donne à la fleur tout son charme. Il peut être d'une seule pièce, refermé sur lui-même, comme un sabot, chez le sabot de Vénus, *Cypripedium calceolus* ; d'une seule pièce en forme de languette chez *Platanthera* ; d'une seule pièce et circulaire chez *Orchis papilionacea* ; entier mais en deux parties avec une cupule à la base et une languette à l'extrémité, comme chez *Epipactis*, *Cephalanthera*. Il peut aussi être divisé, bilobé, comme chez *Listera ovata*, *Neottia nidus-avis*, trilobé comme chez les *Dactylorhiza* et de nombreux *Orchis*, ou quadrilobé chez quelques *Orchis*.

Chez les espèces du genre *Ophrys*, il joue un rôle primordial dans la fécondation* de la fleur. Chez de nombreuses orchidées, le labelle est prolongé par un éperon qui n'est pas systématiquement nectarifère. C'est le cas de la plupart des *Orchis* et chez les *Dactylorhiza*. Par contre, chez *Gymnadenia*, *Anacamptis*, *Platanthera*, *Nigritella*, cet éperon est nectarifère et joue donc un rôle dans l'attraction des insectes* pollinisateurs. Le labelle porte souvent une ornementation faite de points et/ou de tiretés qui convergent vers le centre de la fleur, réalisant ainsi comme un balisage de la piste d'atterrissage des insectes. Chez *Anacamptis pyramidalis*, la base du labelle porte deux lames parallèles dirigeant ainsi la trompe des papillons pollinisateurs vers l'entrée de l'éperon nectarifère. La forme étrange du labelle est souvent à l'origine du nom vernaculaire* ou botanique attribué à la plante. Ainsi, *Aceras anthropophorum* (orchis homme pendu) évoque un petit bonhomme inerte, *Orchis simia* (orchis singe) un petit singe qui gesticule, *Serapias lingua* (sérapias à langue) fait allusion à l'extrémité du labelle, de même que *Serapias vomeracea* (en forme de soc de charrue). JCG

Jacques-Émile Blanche, *Portrait de Marcel Proust.* H/t 73,5 × 60,5. Paris, Orsay.

LITTÉRATURE
« Plantes bizarres du plein ciel » (Émile Zola)

Une connotation sexuelle liée aux orchidées, indépendamment des phénomènes biologiques, se retrouve parfois chez nos auteurs parmi les plus prestigieux. Dans la gracieuse syntaxe que constitue le langage des fleurs, l'orchidée représente la ferveur, voire l'amour ambitieux, tandis que les parfums subtils et les coloris discrets évoquent des sentiments tendres mais respectueux. Chez Marcel Proust, l'importance donnée au *Cattleya* correspond à une évocation de la relation amoureuse, particulièrement évidente dans *Du côté de chez Swann* où la métaphore « faire Catleya » (sic) désigne la possession physique.
Avant de pénétrer dans l'intimité amoureuse de Swann, Proust introduit cette fleur en l'identifiant avec le personnage d'Odette de Crécy ; la fragilité des tissus de la fleur va de pair avec la délicatesse des étoffes dont est revêtu le corps de la femme : « Elle tenait à la main un bouquet de *catleyas* et Swann vit, sous sa fanchon de dentelle, qu'elle avait dans les cheveux des fleurs de cette même orchidée attachées à une aigrette en plumes de cygne. Elle était habillée, sous sa mantille, d'un flot de velours noir qui, par un rattrapé oblique, découvrait en un large triangle le bas d'une jupe de faille blanche et laissait voir un empiétement, également de faille blanche, à l'ouverture du corsage décolleté, où étaient enfoncées d'autres fleurs de *catleyas.* »

Parmi les auteurs procédant à une peinture naturaliste, Zola, dans *La Curée*, évoque les orchidées dans un jardin d'hiver : « Et, sous les arceaux, entre les massifs, çà et là, des chaînettes de fer soutenaient des corbeilles, dans lesquelles s'étalaient des Orchidées, plantes bizarres du plein ciel, qui poussent de toutes parts leurs rejets trapus, noueux et déjetés comme des membres infirmes. Il y avait les sabots de Vénus, dont la fleur ressemble à une pantoufle merveilleuse, garnie au talon d'ailes de libellules ; les *Aerides*, si tendrement parfumées ; les *Stanhopea*, aux fleurs pâles, tigrées, qui soufflent au loin, comme des gorges amères de convalescent, une haleine âcre et forte. »
En 1884, J.-K. Huysmans, à travers les propos de Des Esseintes, dans *À rebours*, parle des « *Cypripedium* aux contours compliqués, incohérents, imaginés par un inventeur en démence. Ils ressemblaient à un sabot, à un vide-poche, au-dessus duquel se retroussait une langue humaine, au filet tendu, tel qu'on en voit dessiné sur les planches des ouvrages traitant des affections de la gorge et de la bouche ». Et à propos du *Cattleya* : « il s'approcha, mit son nez dessus et recula brusquement ; elle exhalait une odeur de sapin verni, de boîte à jouets, évoquait des horreurs d'un jour de l'An ». YD

<< J'ai parfois pour une [orchidée] une passion qui dure autant que son existence, quelques jours, quelques soirs [...] Et je reste près d'elle, ardent, fiévreux et tourmenté, sachant sa mort si proche, et la regardant se faner, tandis que je la possède, que j'aspire, que je bois, que je cueille sa courte vie d'une inexprimable caresse. >>

Guy de Maupassant.

LUMIÈRE

La lumière permet aux plantes d'effectuer la photosynthèse qui est un ensemble de réactions chimiques grâce auxquelles elles synthétisent les glucides leur servant de nutriments et arborent cette couleur verte que nous leur connaissons.

On mesure la quantité de lumière en lux. À l'intérieur, une orchidée, placée sous un éclairage ordinaire, ne reçoit que quelques centaines de lux alors qu'elle en nécessite souvent plusieurs milliers. Les *Paphiopedilum*, par exemple, demandent entre 5 000 et 10 000 lux, les *Phalaenopsis* de 10 000 à 15 000, les *Cymbidium* environ 50 000 et certains *Vanda* encore plus. Mais ces chiffres ne sont pas un handicap pour la culture en appartement car les orchidées ont des capacités d'adaptation étonnantes. De plus, on peut augmenter l'éclairement en installant un éclairage artificiel.

Toutes les expositions conviennent aux orchidées sauf le nord trop sombre. Au sud, l'éclairement peut atteindre plus de 20 000 lux. C'est l'emplacement idéal surtout en hiver. L'est et l'ouest offrent entre 3 000 et 5 000 lux aux plantes. Les orchidées

Éclairage complémentaire dans une serre de *Phalaenopsis*. Établissements Marcel Lecoufle, Boissy-Saint-Léger.

apprécient d'être installées sur de larges rebords de fenêtre. De mars à fin septembre, il faut protéger les plantes du soleil par un voilage ou un store orientable. Précision importante : un double vitrage diminue d'environ 25 % l'éclairement naturel tandis que, si on s'éloigne seulement de 50 cm de la fenêtre, la moitié des lux sont déjà perdus. Par contre, les orchidées sorties dans le jardin seront protégées au début et acclimatées au soleil. À l'intérieur, l'installation de lampes horticoles s'impose. Une peinture blanche sur les murs réfléchit bien la lumière vers les plantes. Si une seule lampe suffit pour une ou deux orchidées, il faut calculer précisément le nombre de tubes fluorescents « lumière du jour » nécessaires pour éclairer une collection complète installée dans une vitrine, une cave, un grenier, une serre*. Les plantes s'adaptent très bien à l'éclairage artificiel à condition d'éviter les lampes dégageant trop de chaleur. La durée maximale d'éclairage journalier ne devrait pas excéder seize heures pour conserver l'indispensable alternance jour/nuit destinée à reproduire les conditions naturelles. ML

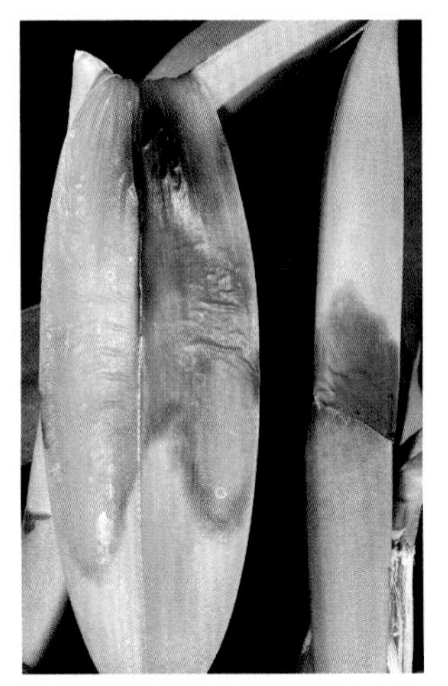

Pourriture noire des feuilles d'un *Cattleya.*

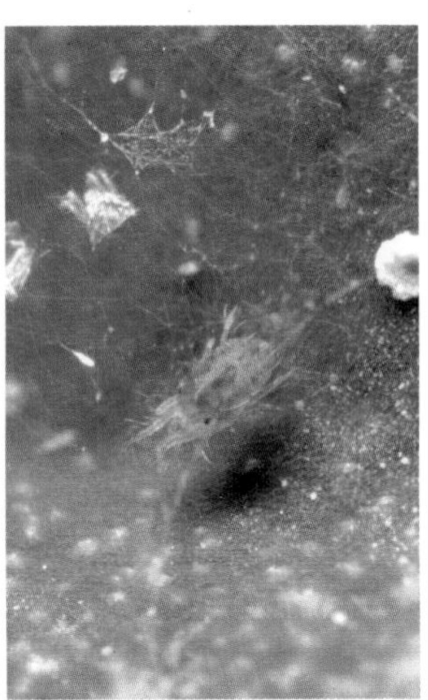

Acarien (araignée rouge) vue au microscope.

Maladie

Les orchidées sont des plantes résistantes mais il leur arrive d'être malades ou parasitées. Les problèmes majeurs proviennent des divers insectes suceurs – pucerons, cochenilles farineuses, thrips –, des champignons, des bactéries et des virus. Une plante soigneusement examinée à l'achat puis bien traitée a toutes les chances d'échapper aux maladies.

Les insectes suceurs qui s'attaquent aux orchidées sont identiques à ceux qui ravagent les plantes vertes et ils se combattent de la même manière. Les plus difficiles à déloger sont les minuscules acariens (araignées rouges) que l'on ne remarque qu'aux fines toiles tendues entre les feuilles.

Aimant l'air sec, chaud et confiné, ces araignées ne parasitent pas les plantes régulièrement vaporisées. Il ne faut pas tenter de traiter divers parasites dans le même temps en mélangeant différents produits, sans connaître les éventuelles interactions et le degré de résistance de la plante. À l'extérieur, il faut épandre sur la surface du compost* des orchidées des granulés antilimaces et vérifier souvent les plantes, surtout avant de les rentrer.

L'excès d'eau et le manque de ventilation* entraînent des pourritures noires. La rosette sommitale des orchidées monopodiales et les jeunes pousses détestent rester mouillées. Les racines* souffrent aussi pour les mêmes raisons, surtout si le compost contient de la tourbe. Dans ce cas, il faut réduire l'arrosage*. En cas de pourriture, laisser sécher la plante, exciser les parties atteintes et utiliser un fongicide.

La chute des boutons est fréquente chez les *Phalaenopsis* qui viennent d'être déplacés et soumis à des conditions d'ambiance différentes.

Les affections virales, qui se propagent par contact direct, sont impossibles à traiter mais n'ont le plus souvent que des conséquences esthétiques. Vous pouvez néanmoins conserver votre plante si elle semble en bonne santé, à part des décolorations, et si la floraison* reste normale. Stérilisez soigneusement les instruments que vous avez utilisés (lames, ciseaux et autres) pour limiter une grave contagion toujours possible. ML

Méristème

Dans les serres* des producteurs spécialisés sont cultivées des milliers de plantes absolument identiques. Ces clones ou mériclones sont nés par culture de méristèmes (du grec *meristos*, partagé). Le méristème est la partie terminale de la tige ou de la racine d'une plante et ne mesure que quelques dixièmes de millimètre. Il est formé uniquement de quelques cellules à partir desquelles tous les tissus se développent. La culture méristématique est en fait un partage des cellules d'une plante mère entre une multitude d'enfants-répliques. La plante mère est soigneusement sélectionnée pour les qualités à reproduire. On utilise beaucoup cette méthode de reproduction dans la culture de fleurs coupées *(Cymbidium, Dendrobium, Phalaenopsis).*

Le premier à faire des expériences à ce sujet fut le professeur G. Morel de l'INRA qui, en 1960, mit au point la culture des orchidées par méristèmes.

Pour stimuler la croissance d'un méristème, il faut le placer sur un substrat contenant tous les nutriments utiles. Lorsque des plantes embryonnaires ou protocormes se sont développés, on les transfère dans un milieu neuf sans régulateurs de croissance comme dans la culture *in vitro* (voir Germination). La multiplication* par méristèmes a considérablement abaissé le coût de culture de nombreuses orchidées. Par semis*, les orchidées mettent parfois jusqu'à 6 ans pour fleurir alors qu'un mériclone le fait au bout de 3 ans, voire 18 mois pour *Phalaenopsis*. Pourtant, certains genres comme *Paphiopedilum* restent réfractaires à cette méthode de reproduction. ML

Cymbidium dayanum, Asie du Sud-Est.

Culture méristématique de *Phalaenopsis*.

■ MULTIPLICATION PROVOQUÉE

La multiplication par un orchidéiste ou un amateur, se fait par semis* et par culture des méristèmes* *in vitro*, mais il existe encore d'autres méthodes de propagation.

La division d'une orchidée s'effectue sur des plantes de grande taille – *Cymbidium, Cattleya, Vanda* –, à la reprise de la végétation. Il faut éviter les divisions inutiles car elles risquent d'affaiblir la plante, rendant parfois la floraison* aléatoire pour plusieurs années. Une orchidée sympodiale – qui croît par la formation de plusieurs pousses rampantes reliées par un rhizome – ne se divise qu'à partir d'un minimum de six pseudobulbes*, et mieux encore, huit. Couper le rhizome entre deux pseudobulbes et rempoter* chaque partie. Les orchidées monopodiales – qui croissent à partir du bourgeon terminal – sont sectionnées en dessous d'une portion de racines* aériennes

Dendrobium nobile.

(trois au minimum). Si la plante est trop haute mais manque de racines aériennes, on provoque leur apparition en incisant la tige en plusieurs endroits et en appliquant sur les incisions de la poudre d'hormones de bouturage. Faire la division quand les racines aériennes sont assez grandes.
Le bouturage concerne les orchidées « cannes » comme *Dendrobium nobile*. Poser les vieilles tiges sans fleurs ni feuilles, tronçonnées en morceaux d'environ 10-15 cm, sur un lit de tourbe humide dans une mini-serre.
Certaines orchidées *(Cymbidium, Cattleya, Odontoglossum)* possèdent souvent plusieurs arrière-bulbes qui tiennent lieu de réserves de nourriture aux pseudobulbes actifs. Un (ou plusieurs) bourgeon, appelé « œil dormant » se trouve en général à la base du pseudobulbe. On peut essayer de « réveiller » ces bourgeons par divers moyens mais il faut parfois attendre plusieurs mois avant d'obtenir un résultat.
Quelle que soit la multiplication, il faut utiliser du matériel propre et stérile pour éviter tout risque d'infection virale ou autre et saupoudrer chaque coupure avec du fongicide. Les plantes rempotées doivent être tuteurées*. ML

Multiplication spontanée

L'orchidée se charge souvent d'assurer elle-même sa descendance, d'une manière plus efficace que la dispersion des graines*, en produisant des rejets que l'on appelle communément d'un mot hawaïen « *keiki* » (petit, bébé). Un *keiki* peut pousser n'importe où, au sommet d'un pseudobulbe*, sur une racine*, une hampe florale… C'est un procédé de multiplication spontanée très commun chez *Phalaenopsis*, *Vanda*, *Dendrobium*. Les *keikis* se forment à la suite d'une erreur de culture : température* trop élevée, arrosage* (ou pluie) intempestif, manque de lumière*.

Lorsque les racines des *keikis* mesurent au moins 5 cm, on peut délicatement les enlever de leur support, les saupoudrer de fongicide* et les rempoter* dans un compost* fin. On obtiendra une plante identique à la plante mère, en fait un clone « naturel » qui fleurit plus rapidement qu'une plante obtenue par semis*.

Keikis de *Phalaenopsis weddemann.*

Keiki de *Dendrobium topaziacum.*

Il arrive qu'une capsule de graines s'ouvre avant sa récolte. Les graines se dispersent dans les pots alentour et germent* parfois, donnant ainsi de nouvelles plantes qui mettront plusieurs années avant d'être adultes. Cependant, dans le cas des hybrides*, la couleur des fleurs des nouvelles plantes peut être différente de celle de la plante mère. Les orchidées indigènes* européennes profitent de l'intervention de l'homme pour se multiplier. Le fauchage des prés et donc des hampes florales ne sont pas un handicap car ce processus déclenche l'émission de nombreux rejets qui créent ainsi de véritables colonies (voir Protection). ML

Mycotrophie

Les orchidées indigènes sont des plantes mycotrophes, c'est-à-dire qu'elles s'approvisionnent en certains aliments par l'intermédiaire des champignons avec lesquels elles vivent en symbiose (association de deux organismes différents comportant des avantages pour chacun). Dépourvue d'albumen, la minuscule graine* de l'orchidée a besoin pour germer* de la présence d'un champignon qui reste ensuite indispensable à la plante adulte. Le champignon, qui appartient au genre *Rhizoctonia*, infeste seulement la zone périphérique de la racine* de la plante, étant aussitôt détruit s'il pénètre plus avant. On ne le trouve pas au niveau du tubercule ni sur les parties aériennes de la plante. Chez les orchidées à tubercules

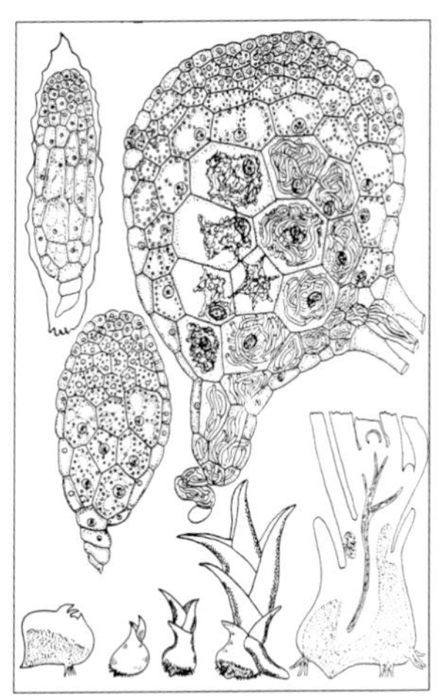

Coupes illustrant l'infestation progressive du champignon. Planche extraite de *L'Évolution dans la symbiose* par Noël Bernard, 1909.

(Orchis, Ophrys), lorsque l'ancien tubercule, vidé de ses réserves, meurt, les racines adventives libres du nouveau tubercule sont infestées par le *Rhizoctonia*, permettant le développement de la pousse qui donnera le tubercule de l'année suivante.

Parfois la symbiose peut devenir permanente, le champignon apportant à la plante les substances hydrocarbonées dont elle a besoin. La plante, capable de synthétiser toute sa matière vivante (organique) à partir de sources exclusivement minérales, par photosynthèse, peut devenir dépendante du champignon pour parvenir à effectuer cette synthèse. Cette symbiose peut aller jusqu'à la perte de la chlorophylle : la plante n'a plus besoin de ses feuilles qui sont réduites à des écailles. C'est le cas des orchidées saprophytes qui trouvent leur nourriture dans l'humus des forêts, comme la néottie nid-d'oiseau, *Neottia nidus-avis*, par l'intermédiaire du champignon. JCG

Naturaliste voyageur

Les naturalistes voyageurs qui, aux XVIIIe et XIXe siècles, parcoururent le monde pour étudier la nature, étaient chargés, suivant leurs attributions, de relever le tracé des côtes, de récolter toutes sortes d'informations relatives à la flore, à la faune, aux climats et aux ressources offertes par le sol ; ils observaient aussi les mœurs des habitants.

Joseph de Jussieu (1704-1779), médecin et naturaliste, frère d'Antoine et de Bernard, accompagna La Condamine dans son expédition en Amérique du Sud. Ayant abandonné l'expédition, Joseph de Jussieu séjourna trente-cinq ans en Amérique du Sud, dont dix ans à Lima, où il exerça la médecine. Il fut l'un des premiers explorateurs de la flore sud-américaine dont il envoyait régulièrement des spécimens à ses frères. Le Pérou était pour lui la terre d'élection de l'orchidée.

L'Anglais James Cook (1728-1778) entreprit en 1768, à bord de l'*Endeavour*, un premier voyage autour du monde qui dura trois ans. Joseph Banks, spécialiste d'histoire naturelle, et le botaniste suédois Solander étaient du voyage qui les mena jusqu'en Nouvelle-Zélande. Les deux scientifiques récoltèrent et ramenèrent en Europe environ 3 000 plantes nouvelles parmi

lesquelles figuraient des orchidées. Joseph Dombey (1742-1794), élève de Jussieu et de Gouan, fut envoyé au Pérou par Turgot mais Ruiz et Pavon, botanistes espagnols, lui disputèrent ses découvertes. Ses collections furent saisies par les Anglais puis vendues aux Espagnols.
Les naturalistes voyageurs furent nombreux à exercer pour le compte du Muséum national d'Histoire naturelle, ancien Jardin du Roi (voir Jardinier voyageur), le plus important établissement de ce type au siècle des Lumières. L'on peut citer, parmi eux : Joseph-Pitton de Tournefort, né à Aix-en-Provence en 1656, qui accomplit un voyage au Levant en compagnie d'Aubriet, dessinateur ; ils rapportèrent 1 354 plantes après deux ans d'absence. Pierre Poivre, né à Lyon en 1719, Intendant des îles de la Réunion, introduisit un nombre considérable de plantes et d'épices, à l'île de France et au Jardin du Roi.
André Michaux, né à Versailles en 1746, partit pour l'Amérique du Nord en 1785 où il créa des pépinières et explora ensuite l'île de France et Madagascar. Victor Jacquemont, né en 1801, explora la flore de l'Asie. Armand David, né à Espelette en 1826, récolta au cours d'un long séjour en Chine et au Tibet, 3 420 plantes. YD

John Hamilton Mortimer, *James Cook, Joseph Banks et Lord Sandwich*, v. 1771. H/t. Canberra, National Library of Australia.

Neumann (Joseph)

Malgré l'intérêt économique de la production de la vanille*, aucun jardin* botanique européen n'était capable d'assurer, après la floraison*, la fructification des vanilliers acclimatés. L'étude de la sexualité* des plantes (voir Darwin) permettra de comprendre l'importance des insectes* pollinisateurs et des oiseaux-mouches dans le cas de l'orchidée *Vanilla fragrans* mais l'élément fondamental, dans l'histoire économique de la vanille, est la découverte et la mise au point de la fécondation* artificielle. Une polémique entoure cette invention, tantôt attribuée au belge Moren (Liège, 1836), à l'esclave noir Albius (La Réunion, 1841) ou au planteur Dupuis (Guadeloupe, 1842). Il semble cependant qu'ils aient été devancés, en 1830, par Joseph Neumann du Muséum national d'Histoire naturelle. Les techniques de pollinisation* artificielle se répandirent rapidement dans les colonies françaises tropicales (voir Économie) où l'on avait mis en culture la vanille. L'opération est effectuée par les « marieuses » qui, durant les premières heures de la journée, fécondent jusqu'à 1 500 fleurs. Le labelle* est abaissé et déchiré pour dégager le gynostème ; le rostellum est relevé à l'aide d'un stylet ou de nervure de feuille de palmier et placé sous l'étamine ; d'une pression du doigt, les pollinies sont mises au contact de la surface stigmatique.

Si la découverte de Neumann révolutionna la mise en culture de la vanille commerciale, elle précéda de peu la découverte de Tiemann et Haarmann qui, en 1874, isolèrent de la coniférine la vanilline, arôme synthétique capable de concurrencer l'arôme naturel des gousses*. GC

Nom vernaculaire

Bien avant que les sciences aient étudié le règne végétal et que Linné, au XVIIIe siècle, ait établi sa nomenclature binaire pour désigner les plantes (un nom de genre suivi de celui de l'espèce), les habitants de tous les pays du monde avaient déjà donné des noms aux plantes ; ils servent encore dans le langage populaire mais ces noms dits vernaculaires ne sont valables que dans une région donnée. Seules les appellations scientifiques ont une valeur internationale.

Ces noms sont souvent imagés et, chez les orchidées, ils permettent de souligner des aspects particuliers à ce vaste groupe pourvu de singularités morphologiques. Aussi, ont-ils été sou-

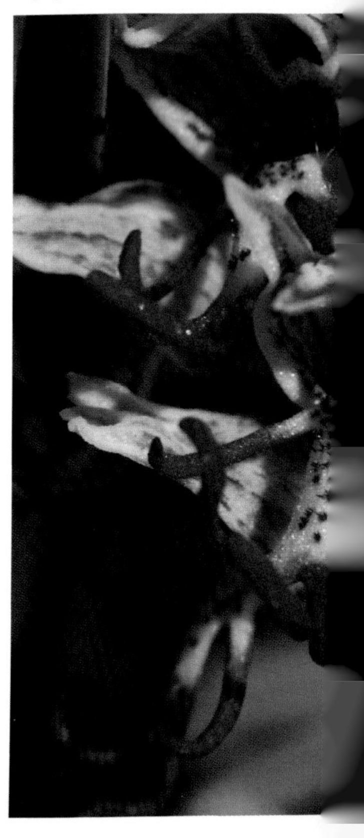

vent repris par les botanistes dans les descriptions officielles des espèces. Par exemple, le mot grec *ophrys*, désignant les sourcils, a été repris par Linné et le genre *Ophrys*, devenu officiel pour tous les botanistes du monde, comporte environ 150 espèces européennes ou d'Asie Mineure, tel *Ophrys apifera*, l'ophrys abeille ; *Ophrys bombyliflora*, l'ophrys bombyx ; *Ophrys insectifera*, l'ophrys mouche ou encore *Ophrys speculum*, ou ophrys miroir, ainsi désigné parce que le labelle* présente une surface brillante. Ces noms aident notre mémoire mais ils n'ont qu'une valeur relative, parfois extrêmement fantaisiste et peu compréhensible. Le nom *orchidée* n'échappe pas à ce procédé : *orchis* en grec signifie testicule et le mot a été repris par Linné pour le genre *Orchis*, car les parties souterraines (voir Racines) de la plante ressemblent à ces organes chez certaines espèces. Comme il existe des orchidées dans la plupart des pays où la nature est généreuse, tropicale notamment, il y a un nombre infini de noms vernaculaires, dans toutes les langues. Si on prend la peine de faire des traductions, on peut découvrir toutes sortes d'interprétations. En Amazonie, on appelle de nombreuses orchidées philtre d'amour des singes. Dans les pays chrétiens, on a souvent attribué à certaines orchidées le nom de tresse de Notre-Dame. YD

Ophrys insectifera, l'ophrys mouche, Savoie.

Orchis simia, l'orchis singe, Alpes-Maritimes.

L'Arrivée des Espagnols aux abords de Tlaxcala. Codex Durán, v. 1579-1581. Madrid, Biblioteca Nacional.

Nouveau Monde
À leur arrivée dans le Nouveau Monde, quelques décennies après la découverte de l'Amérique par Christophe Colomb (1492), les Espagnols sont bien décidés à conquérir les terres nouvelles qui s'ouvrent devant eux. Ils y trouvent de l'or comme ils l'espéraient mais ils y découvrent aussi des richesses botaniques insoupçonnées : tabac, cacoyer, orchidées. Parmi celles-ci, des vanilliers* aromatiques, dont les fruits, exploités par les populations amérindiennes comme aromates et thérapeutiques*, tenaient une place importante dans la vie quotidienne et économique des Aztèques. Les codex attestent que, dès le règne d'Izcoatl (1427-1440), les Totonacapan de la côte Est du Mexique cueillaient des gousses sauvages et mettaient en culture des plants de vanilliers spontanés, pour payer leur impôt. Quand, en 1519, le conquistador Hernan Cortès entre à Mexico, l'empereur Moctézuma lui aurait offert une boisson à base de fèves de cacao, le chocolat, aromatisé à la vanille.
Les galions espagnols importèrent en Europe* quelques gousses* de vanille au titre des « curiosités indiennes et produits des peuples atlantiques ». Associée au chocolat et au tabac qu'elle aromatise, la vanille suscita un véritable engouement tant domestique que scientifique. En 1760, les Espagnols établirent leurs premières plantations dans l'État mexicain de Vera-Cruz, la production des gousses se maintenant ainsi dans l'aire d'influence espagnole. Il fallut attendre la découverte du principe de la fécondation* artificielle par Joseph Neumann*, en 1830, pour que de nouveaux crus et terroirs (Jamaïque, Floride du Sud, îles de la Sonde, Océanie, Asie tropicale, Afrique) produisent *Vanilla fragrans.* GC

Parasite. Voir Maladie

POLLINISATION
Une panoplie de stratagèmes

La pollinisation est le transport des grains de pollen (cellules sexuelles mâles) d'une fleur jusqu'au stigmate – l'organe sexuel femelle (voir Structure) – d'une autre fleur pour assurer la fécondation*. Cette fonction est accomplie à l'insu de l'animal pollinisateur, en général un insecte* (papillon, abeille, mouche, lépidoptère) ou un oiseau-mouche, voire une chauve-souris.
L'orchidée a développé une panoplie de stratagèmes pour attirer les pollinisateurs. Les pollinies se fixent sur le front ou le dos du pollinisateur. Visitant ensuite une autre orchidée, l'animal y décharge son fardeau et effectue ainsi ce que l'on appelle une pollinisation croisée.
Ainsi, c'est dans le genre *Ophrys*, genre d'orchidées présentes autour du bassin méditerranéen et jusqu'en Europe du Nord, qu'on trouve les systèmes de fécondation les plus extraordinaires du règne végétal (voir Coévolution). En effet, les *Ophrys* utilisent de véritables leurres sexuels pour attirer l'insecte pollinisateur, un Hyménoptère. L'*Ophrys* sécrète une substance odorante proche de l'odeur d'une phéromone émise par la femelle, pour stimuler le comportement sexuel du mâle. En l'absence de femelle, l'insecte mâle est attiré par ce stimulus olfactif. La fleur utilise aussi des leurres visuels. La forme, la coloration et souvent la pilosité du labelle* rappellent un insecte posé sur une fleur. L'insecte mâle attiré par l'odeur et l'apparence vient se poser sur le labelle de la fleur et au contact de la pilosité de celui-ci, l'insecte mâle pratique une pseudocopulation et en frottant sa tête ou son abdomen, à la base du gynostème, détache les pollinies qu'il emporte sur une autre fleur.
D'autres espèces produisent du nectar accompagné *(Gymnadenia, Anacamptis, Platanthera, Nigritella,* certains *Orchis)* ou non *(Listera, Cœloglossum, Aceras,* nombreuses *Epipactis...)* d'un fort parfum. À défaut de nectars, chez certaines orchidées pratiquant par ailleurs le leurre sexuel, la surface stigmatique (qui doit recevoir les pollinies) exsude un composé d'acides aminés et de sucre. Dans quelques rares cas, nectar et exsudat contiennent des enzymes qui peuvent provoquer leur fermentation, entraînant l'intoxication alcoolique des butineurs. Ce qui accroît le nombre des visites par toxicomanie du pollinisateur (voir ill. p. 65).
Certaines orchidées facilitent la tâche à l'insecte en transformant leur labelle en véritable piste d'atterrissage, d'autres au contraire donnent au labelle une forme de poche *(Paphiopedilum, Cypripedium, Stanhopea)*. L'insecte n'arrive à s'échapper que par un unique passage situé sur le chemin des pollinies.
Le mécanisme de la pollinisation est encore presque inconnu pour plusieurs genres d'orchidées. Il faut parfois un siècle pour découvrir le pollinisateur d'une orchidée. Il existe, enfin, quelques espèces capables de s'autoféconder. JCG et ML

Pseudocopulation d'Hyménoptère *(Chalicodoma sp.)* sur *Ophrys* du groupe *O. bertolonii*, Alpes-Maritimes.

POLLINISATION ARTIFICIELLE

La pollinisation artificielle est effectuée par l'homme, orchidéiste ou amateur, puisque, dans les cultures, l'insecte* pollinisateur habituel de la fleur n'est pas disponible. La technique en est simple. En schématisant, on peut dire que les organes sexués des orchidées se trouvent au sommet du gynostème, organe en forme de colonne provenant de l'union des étamines, pièces mâles, et du style, pièce femelle (voir Structure). À quelques millimètres de distance, séparées par une languette de protection (le rostellum) pour éviter une autofécondation, on voit les pollinies destinées à une autre fleur et le réceptacle (le stigmate) où le pollinisateur déposera le pollen d'une autre fleur. Si l'on soulève le rostellum et que l'on abaisse les pollinies, la plante s'autoféconde. On hésite encore sur le nom de l'inventeur de cette technique manuelle d'autofé-

Pollinisation artificielle d'une fleur de vanille, île de la Réunion.

condation, et sur la date de cette découverte, mais il semble qu'on puisse la situer dans les années 1830-1840 (voir Neumann). Elle est toujours employée, notamment dans tous les pays qui s'adonnent à la culture des différentes espèces de vanilles* productives, pour remplacer l'insecte pollinisateur.

Pour effectuer une pollinisation croisée, c'est-à-dire entre deux plantes différentes –, on récolte les pollinies avec un instrument pointu, un cure-dents, la pointe d'un couteau, et on les dépose sur le stigmate d'une fleur de l'autre orchidée. Ce type de pollinisation est nécessaire pour la création de nouveaux hybrides* et pour la propagation de plantes que l'on ne peut pas encore multiplier* par culture de méristèmes* (*Paphiopedilum*). ML

PROTECTION
Faire face aux menaces

De nombreuses espèces d'orchidées sont aujourd'hui en danger. L'augmentation de la population et la multiplication des activités humaines (industrie, agriculture, lotissements, loisirs, tourisme et voies de communication) sont de grandes dévoreuses d'espaces naturels dans lesquels vivent les orchidées. À cela s'ajoute la disparition plus ou moins naturelle de leur biotope* particulier, c'est-à-dire le milieu dans lequel elles trouvent les conditions climatiques et biologiques qui leur conviennent.
Le paysage naturel dans lequel nous vivons est depuis des siècles façonné par l'homme, favorisant une grande diversité de milieux. Il existe ainsi des zones semi-naturelles telles que des pelouses sèches, des prairies dans lesquelles de nombreuses orchidées trouvent un milieu favorable à leur développement. La déprise agricole, l'abandon de certaines pratiques culturales favorisent la fermeture de ces milieux. Les broussailles puis la forêt regagnent progressivement du terrain aux dépens des espèces héliophiles – qui aiment le soleil – comme les *Ophrys.* La destruction des zones humides par assèchement entraîne la disparition d'espèces très rares qui sont actuellement gravement menacées. Enfin, une menace importante qui concerne certaines espèces est la cueillette. Ainsi le sabot de Vénus *(Cypripedium calceolus)* est devenu très rare en France et a pratiquement disparu de certaines régions. La grande taille et la beauté de sa fleur en sont la cause.
Face aux menaces qui pèsent sur la faune et la flore, l'État a mis en place une réglementation et l'arrêté du 20 janvier 1982 (modifié par arrêté du 31 août 1995), relatif à la liste des espèces végétales protégées sur l'ensemble du territoire, protège intégralement 402 espèces végétales dont 18 espèces d'orchidées, en particulier par l'interdiction de « la destruction, la coupe, la mutilation, l'arrachage, la cueillette [...] la vente ou l'achat de tout ou partie des spécimens sauvages des espèces citées... ». La Convention de Berne du 19 septembre 1979, relative à la conservation de la vie sauvage et du milieu naturel de l'Europe a été ratifiée en 1989 par la France qui applique également la directive 92/43/CEE du 21 mai 1992 concernant la conservation des habitats naturels ainsi que la faune et la flore sauvages. La Convention de Washington (ou CITES*), du 3 mars 1973, sur le commerce international des espèces de faune et de flore sauvages menacées d'extinction, réglemente les échanges internationaux de toutes les espèces d'orchidées. Leur commerce est soumis à autorisation spéciale (permis CITES). Les conservatoires botaniques nationaux, les espaces naturels protégés (parcs nationaux, parcs naturels régionaux, réserves naturelles...) et la protection des biotopes contribuent aussi à la protection des orchidées. JCG

Cypripedium calceolus, le sabot de Vénus, Savoie, 750 m.

Bulbophyllum lobbii. Asie du Sud-Est.

Pseudobulbe. Voir Racines

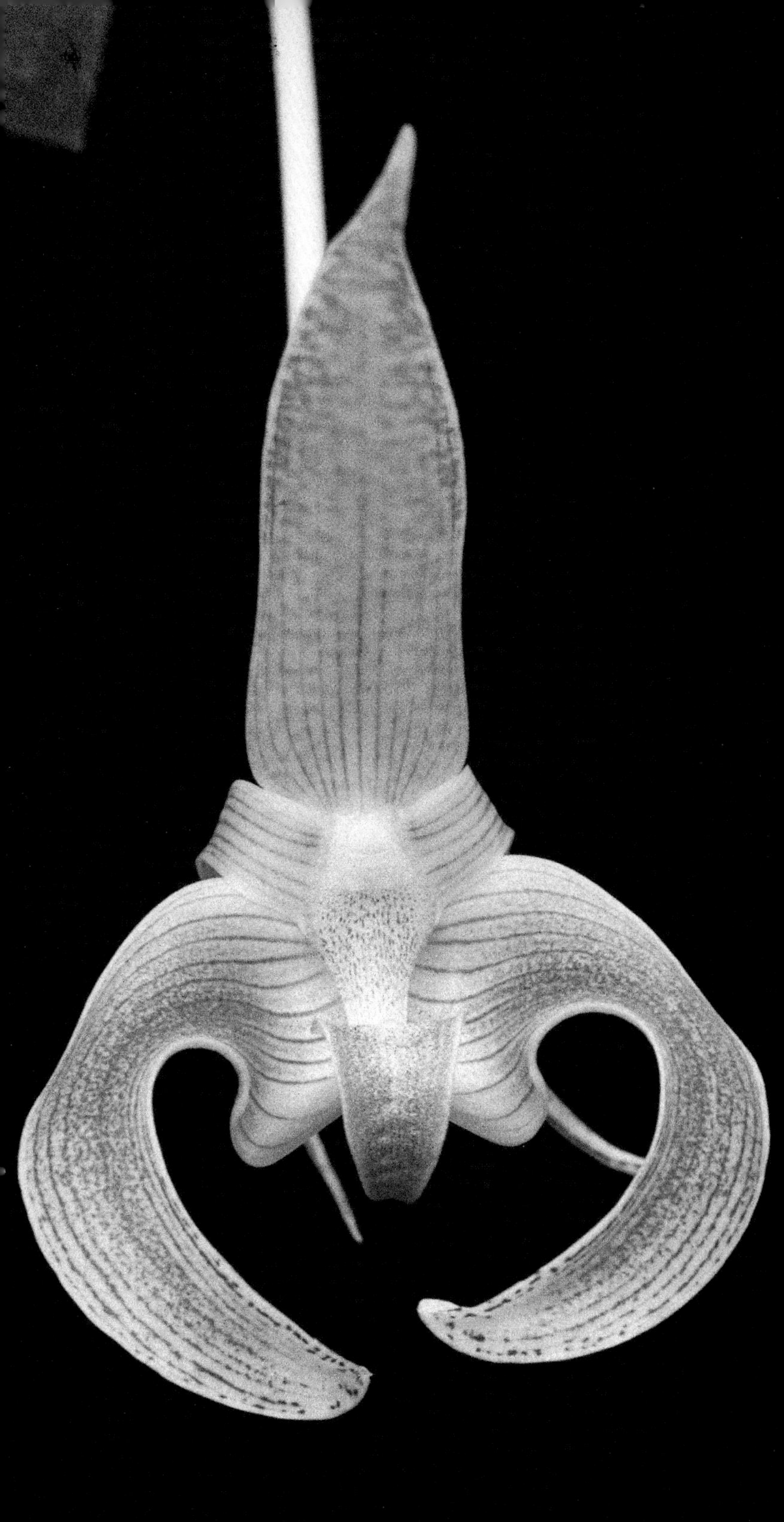

Racines

Les parties souterraines des orchidées terrestres* se composent des racines proprement dites et d'une tige souterraine stolonifère ou d'un rhizome ou d'un tubercule permettant la croissance d'une nouvelle plante sans fécondation*. Ce ne sont pas des bulbes bien que ce nom leur soit généralement donné. Chez les Liparinés, l'organe de réserve est un pseudobulbe formé par le renflement de la tige.

Les racines sont des filaments cylindriques, blanchâtres ou brunâtres, très rarement ramifiés et situés au-dessus du tubercule. Elles fixent la plante dans le sol et en tirent les substances qui lui sont nécessaires. Chez les orchidées européennes munies d'un rhizome très court ou dépourvues de tubercules, les racines émises par le rhizome peuvent former des pelotes plus ou moins serrées et entrelacées rappelant un nid d'oiseau *(Neottia)* ou se renfler en forme de massue *(Limodorum).*

Le tubercule est un organe charnu donnant naissance à une plante qui va fleurir et fructifier. Parallèlement se développe un second tubercule qui remplacera le premier après la floraison* et dans lequel la plante mère emmagasine la nourriture qui sera utilisée pour la croissance de la plante de l'année suivante. Les tubercules peuvent être de différentes formes – ovoïdes ou globuleux chez les *Ophrys* et les *Orchis* ; palmés ou digités comme dans le genre *Dactylorhiza* ou chez *Coeloglossum*, *Gymnadenia* ou *Nigritella* ; fusiformes comme chez *Platanthera*.

Quand la plante ne possède pas de tubercules, elle peut avoir un rhizome, tige souterraine munie de racines adventives, cheminant parallèlement à la surface du sol et se nourrissant dans la couche d'humus superficielle. On trouve cette organisation chez des espèces forestières – *Cypripedium*, *Epipactis*, *Cephalanthera*... Chaque année, cette tige s'allonge tandis que, au fur et à mesure, ses portions les plus anciennes meurent. Le rhizome émet un bourgeon qui sortira de terre pour donner une pousse florifère.

Les orchidées épiphytes* ont des racines aériennes qui leur permettent à la fois de se nourrir et de se fixer sur d'autres végétaux. JCG

Tubercule d'*Orchis morio*, orchis bouffon.

Rhizome de *Neottia nidus-avis*, néottie nid-d'oiseau.

Bulbophyllum flaviflorum. Taiwan.

REMPOTAGE

Même si la plupart des orchidées sont épiphytes*, on les place dans des pots pour la commodité de la culture. Aux pots en argile, beaucoup d'orchidéistes préfèrent aujourd'hui utiliser des pots en polypropylène qui possèdent beaucoup de qualités : légèreté, inertie du matériau d'où possibilité de réutilisations successives, facilité d'entretien et de stérilisation. Au contraire des pots en argile, ils ne concentrent pas les sels minéraux et, ainsi, n'abîment pas les racines*. De plus, celles-ci, ne pouvant pas adhérer aux parois lisses du pot en plastique, sont plus faciles à enlever. Par contre, du fait de leur légèreté, il faut souvent caler les pots lorsqu'ils contiennent de grandes plantes. Certaines espèces épiphytes et celles dont le port est retombant se portent mieux dans des paniers métalliques, en bois ou en plastique, voire sur des plaques d'écorce, de liège, ou sur des bûches.

Les orchidées préfèrent vivre à l'étroit et ne doivent être dépotées qu'en cas de nécessité : compost* détérioré, racines abîmées ou débordant du pot provoquant un dessèchement rapide. Pour vérifier l'état des racines, taper le pot d'un coup sec sur un rebord pour sortir ensemble le compost et la plante. Des racines brunes et sèches ou pourries nécessitent un changement de substrat. Dépoter la plante sans abîmer les racines, couper les parties mortes et saupoudrer de fongicide*. Préparer ensuite le pot stérilisé, de la même taille ou légèrement plus grand. Poser au fond 2 à 5 cm de tessons ou de billes d'argile. Mettre ensuite une couche de compost humidifié, puis installer la plante. Enterrer à peine les pseudobulbes* et les rhizomes*. Recouvrir toutes les racines de compost. Tasser précautionneusement et procéder au tuteurage*, sans briser de racines, pour éviter à la plante de tomber. Arroser* légèrement ou vaporiser pendant 2 à 3 semaines, le temps que les nouvelles racines naissent.

Les rempotages se font en général au printemps *(Paphiopedilum)*, ou à la fin de la période de repos *(Cymbidium, Cattleya)*, à l'apparition de nouvelles racines. Les orchidées monopodiales, qui poussent continûment à partir du bourgeon terminal, se rempotent toute l'année sauf en hiver *(Phalaenopsis, Vanda)*. Ne jamais réutiliser le même compost. ML

Miltonia hybride.

Dépoter la plante sans abîmer les racines.

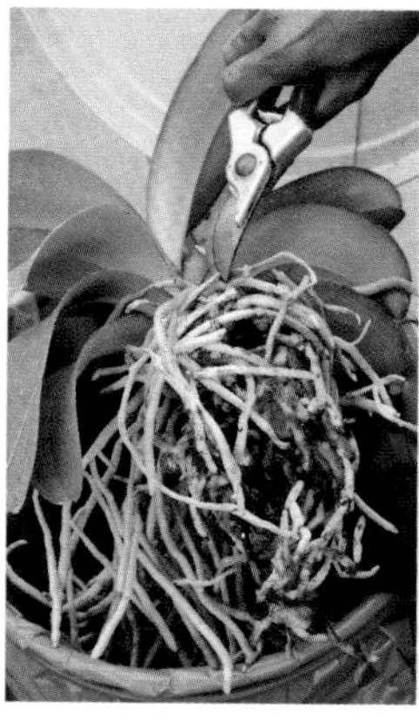

Couper les racines mortes.

Rempoter sans enterrer pseudobulbes et rhizomes.

Affiche du film *La Chair de l'orchidée* de Patrice Chéreau, 1974.

Rêve vénéneux

Les formes étranges, associées aux propriétés aphrodisiaques attribuées à certaines espèces, ont contribué à entourer les orchidées de mystère, voire à leur donner une dimension mythique. Dans la région méditerranéenne, on a attribué le nom de main-de-mort à des tubercules intervenant dans la composition de philtres. À Madagascar, on commercialise sur les marchés des petits paquets de tiges caractéristiques d'espèces aphylles de vanille* dites aphrodisiaques, au risque de les faire disparaître tant elles sont exploitées dans la nature. Au Mexique, *Bletia reflexa* est la *Flor do muertos* et, dans plusieurs pays d'Amérique du Sud, chez les *Gongoreae* en particulier, à la fois les formes insolites, l'odeur singulière et les couleurs carnées de leurs inflorescences rendent ces plantes redoutables aux yeux de diverses communautés. Si les impressions que ces plantes inspirent dans leurs pays d'origine n'ont pas toujours été importées avec elles, des écrivains, chez nous, ont cultivé le mystère (voir Littérature). YD

Rhizome. Voir Racines

Salep

Le salep est une ressource alimentaire* parfois importante sur le pourtour méditerranéen et au Proche-Orient où les orchidées à salep font partie de la flore locale et peuvent donner lieu à des cultures. C'est une substance riche en amidon et en mucilages, obtenue à partir des organes souterrains de plusieurs espèces appartenant au genre *Orchis.*

La forme des tubercules* a donné naissance à la croyance en des vertus magiques propres à ces plantes. Les divers noms donnés sont évocateurs : ainsi, *Orchis hircina* et *Orchis mascula* sont appelés en Turquie « testicule de chien » ou « testicule de renard ». Il existe différentes espèces utilisées pour obtenir du salep dont *Orchis morio* (orchis bouffon) ou *Orchis militaris* inscrits sur certaines listes régionales françaises d'espèces végétales protégées*.

Aujourd'hui encore, en Grèce, en Turquie ainsi que dans diverses régions du Moyen-Orient, on commercialise ces organes riches en salep, présentés en chapelets faits des tubercules brunâtres séchés au soleil. On fait avec la poudre de salep un breuvage apprécié, mélangé avec du miel ou préparé avec des décoctions de figues sèches.

Les pratiques commerciales et les croyances populaires – on a attribué au salep des vertus aphrodisiaques tout à fait imaginaires – font peser sur les orchidées, notamment du Moyen-Orient, une grave menace : à moyen ou long terme, disparition totale de certaines espèces d'orchidées. En Turquie, les tubercules d'orchis sont vendus par sacs de 50 kg, ce qui correspond à l'arrachage d'environ 200 000 pieds d'orchidées ! YD

Semis

Dans la nature, les graines* d'orchidée qui tombent dans un milieu favorable germent. Ces graines (environ 0,5 mm de long), qui sont les plus petites des graines de Monocotylédones (voir Classification), se gonflent d'eau et éclatent, ce qui permet au champignon *Rhizoctonia* de pénétrer dans les cellules de l'embryon. Elles commencent alors à se multiplier en se nourrissant de ce champignon (voir Mycotrophie). Puis la photosynthèse démarre et la masse de cellules se défait peu à peu de cette dépendance symbiotique.

Une pousse, des racines* se développent et l'ensemble se met à ressembler à une plante. Le champignon est relégué dans les racines où il est encore présent à l'état adulte. En essayant de semer des graines de *Cypripedium*, orchidées terrestres* des régions tempérées, on s'est aperçu qu'il fallait d'abord les faire séjourner plusieurs mois au froid pour réveiller leur pouvoir germinatif.

Pour des semis* *in vitro*, il convient de stériliser tout le matériel, de travailler dans un milieu le moins contaminé possible mais aussi de stériliser les graines. Certains préconisent un trempage dans de l'eau de javel diluée, d'autres préfèrent l'hypochlorite de calcium, moins agressif pour la graine.

Il vaut mieux semer les graines sur le milieu gélosé réparti dans plusieurs flacons. S'il y a contamination, on peut ainsi espérer que tous les flacons ne seront pas touchés.

En laboratoire, le taux de réussite est de 95 %, l'amateur expert atteindra 50 à 85 % tandis que le néophyte réussira dans 10 % des cas. ML

Sac de 50 kg de tubercules d'orchidées pour la préparation du salep, Turquie.

En bas à gauche : *Cattleya labiata*, var. *autumnalis*, Brésil.

Culture in vitro d'orchidée, Guadeloupe.

Serre

Au XIXe siècle, quand la passion des orchidées saisit l'Europe, il devint évident aux collectionneurs* que, pour donner à ces fleurs d'origine tropicale les meilleures conditions de culture, il fallait les élever dans des serres chaudes. D'abord réservées à la classe riche du fait de leur prix élevé, les serres de petite taille, proches des caisses de Ward, furent, dès le milieu du XIXe siècle, produites en série, ce qui permit de démocratiser la culture des orchidées.

Construction indépendante ou attenante à la maison, d'orientation idéale est-ouest, en dehors de l'ombre d'un immeuble voisin ou d'arbres à feuilles persistantes, la serre doit comporter les postes importants qui peuvent tous être automatisés : chauffage, ventilation*, arrosage* (avec stockage d'eau de pluie), ombrage, par voilages ou stores orientables, pour l'été. L'automatisation de la mise en route évite une surveillance constante et certains désastres comme la surchauffe ou le gel des plantes. La surface minimale d'une serre est de 9 m^2. En dessous, il est difficile d'y réguler la température*. Les serres froides doivent être maintenues à un minimum nocturne de 10 °C environ pour permettre l'hivernage des orchidées des contrées froides : *Pleione*, *Bletilla*, et des orchidées en période de repos, au sec, comme certains *Dendrobium (D. kingianum, D. delicatum), Odontoglossum* ou *Cymbidium* préparant leur floraison*.

Les serres tempérées reproduisent le climat subtropical (13-15 °C la nuit, 24 °C environ le jour) et sont idéales pour les *Cattleya*, *Miltonia*, *Paphiopedilum* et les orchidées hybrides.

Les serres chaudes, véritable milieu tropical, sont placées sous le signe de la chaleur (16 °C la nuit, 27 °C le jour) et de l'humidité*. Une ventilation excellente y est indispensable. C'est le domaine de quelques-unes des plus belles orchidées – *Calanthe*, *Phalaenopsis*, *Vanda*... Cependant, la culture de nombreuses orchidées est possible en dehors d'une serre.

Dans une maison ou un appartement, l'amateur réussira à leur donner des conditions de vie acceptables : lumière (placer le pot près d'une fenêtre exposée à l'est ou à l'ouest), chaleur (ne pas oublier que la chute nocturne de la température est indispensable à la santé des plantes), humidité (mettre le pot sur un plateau contenant du gravier recouvert d'eau). ML

À gauche :
Serre chaude
des établissements
Marcel Lecoufle,
Boissy-Saint-
Léger.

■ SEXUALITÉ
« Un tourbillon de poussière qui répand la fécondité. » (S. Vaillant)

Une infinité de végétaux dits *inférieurs* – champignons, algues, fougères, mousses et lichens – développent des organes reproducteurs, sexuels, très discrets ; pour cette raison, on les a rangés sous le nom de Cryptogames. Ils se reproduisent par spores. La sexualité chez les végétaux dits *supérieurs*, ceux à fleurs, a certainement été pressentie de bonne heure au cours de l'histoire par les naturalistes mais c'est à Sébastien Vaillant (1669-1722) que l'on doit les premières découvertes à ce sujet. Vaillant, enfant, se passionnait déjà pour la botanique. Il suivit les cours de Tournefort au Jardin du Roi puis enseigna dans ce même établissement. Dans un discours prononcé à l'ouverture de son cours au Jardin du Roi, le 10 mai 1717, publié en 1718 sous le titre *Sermo de structura florum*, il donnait des détails sur les grains de pollen, la *farina*, et son rôle dans la fécondation* ; il écrivait notamment : « Dans cet instant, ces fougueux [les organes reproducteurs mâles] qui semblent ne chercher qu'à satisfaire leurs violents transports, ne se sentent pas plutôt libres que faisant brusquement une décharge générale, un tourbillon de poussière qui répand partout la fécondité... » Après Vaillant, la sexualité des végétaux a fait l'objet de multiples travaux dont les études essentielles, menées au XIXe siècle, par Darwin* et par Neumann*.

Ophrys tenthredinifera, Espagne.

Pour comprendre la fécondation chez les orchidées, il convient de préciser que les organes reproducteurs chez les végétaux, les organes sexuels mâle et femelle, peuvent être portés par la même fleur ou bien par des fleurs différentes ou même sur des sujets différents. Le pollen peut être véhiculé d'un organe à l'autre par le vent ou bien par des animaux. Il y a parfois autofécondation directe mais la fécondation croisée (fleurs différentes mais appartenant généralement à la même espèce) est la plus fréquente. Chez les orchidées dont la fleur porte à la fois les organes sexuels mâle et femelle, les insectes* sont généralement les agents de transport du pollen, donc de la fécondation. YD

Double page suivante :
Cattleya elongata, Brésil.

Sociétés d'orchidophilie

En avril 1997, la plus ancienne association européenne d'orchidophilie, une société anglaise fêtera son centenaire.
En France, c'est la Société française d'Orchidophilie (la SFO), une des dix plus importantes au niveau mondial, qui a célébré en 1994 son 25e anniversaire. Agréée par le Ministère de l'Environnement au titre de la Qualité de la vie et de la protection de la Nature, elle a été chargée de la cartographie des orchidées françaises (métropole et DOM), ce qui permettra de sensibiliser l'opinion publique à la raréfaction des orchidées sauvages et de leurs biotopes*. Dans le même but, la SFO organise, pour les orchidées exotiques, des séances de conseils de culture, de semis*, des échanges de plantes, une banque de graines* et de pollens... Sont préparés par la SFO, mais aussi par ses groupements régionaux et sections, des voyages d'études, des conférences et colloques internationaux. Elle édite une belle revue, l'*Orchidophile*, et bien d'autres publications.
Bibliothèque et photothèque sont accessibles aux adhérents. Elle est administrée et animée uniquement par des bénévoles.
Il existe d'autres associations nationales ou régionales, plus récentes, telles la FFAO (Fédération française des Amateurs d'orchidées) et l'AFCPO (Association française Culture et Protection des orchidées) ; il y en a aussi dans les DOM-TOM. Les associations se réunissent, tous les trois ans, au niveau européen en comité (EOC, Comité européen des Orchidées) et en congrès mondial (WOC) et participent aux réunions de réactualisation de la Convention de Washington (CITES) ainsi qu'à celles du SCOE (Secrétariat pour la protection des Orchidées d'Europe). ML

Cattleya araguaiensis, Amérique du Sud.

STRUCTURE FLORALE
Une construction ternaire

La constitution de la fleur d'orchidée est toujours ternaire, sa symétrie est bilatérale. C'est une fleur zygomorphe (du grec *zygos*, couple, et *morphê*, forme), symétrique par rapport à un plan : une moitié de la fleur est l'image inversée, comme dans un miroir, de l'autre moitié. La formule florale de la fleur trimère est la suivante : trois sépales, trois pétales, trois étamines, trois carpelles.
Les sépales sont les pièces externes du périanthe (du grec *péri*, autour, et *anthos*, fleur), ensemble des pièces protectrices de la fleur, pétales et sépales. Il y a deux sépales latéraux et un sépale dorsal. Les pétales sont les pièces internes du périanthe. Un pétale est différent des autres : c'est le labelle* (du latin *labellum*, petite lèvre) qui peut être muni d'un éperon nectarifère. Primitivement, dans la fleur, le labelle est en position dorsale, c'est-à-dire dirigé vers le haut. À la floraison*, la fleur se tord ou bascule sur elle-même de 180° (résupination) et le labelle se retrouve en position ventrale ou infère. Chez peu d'espèces, cette résupination ne se réalise pas ou alors à 360°, ce qui revient au même. Le labelle est alors dit supère. C'est le cas d'*Epipogium*, *Hammarbya*, *Liparis*, *Nigritella*. Tous les autres genres d'orchidées ont un labelle infère.
Des trois étamines, deux sont devenues stériles et se retrouvent parfois sous la forme de staminodes (étamine rudimen-

taire, avortée et sans pollen). La troisième étamine est réduite à l'anthère (partie terminale fertile de l'étamine). Elle comporte deux loges polliniques qui contiennent chacune une ou deux pollinies (masse de grains de pollen agglutinés portée par un caudicule lui-même fixé sur un disque gluant, le rétinacle).
La partie mâle et la partie femelle sont soudées en une colonne qui porte le nom de gynostème. Des trois stigmates, partie femelle de la fleur destinée à recevoir les grains de pollen, deux sont fertiles et fonctionnels. Ils sont soudés. Le troisième devenu stérile, appelé rostellum, sépare les deux loges de l'anthère des deux stigmates fertiles, empêchant ainsi l'autofécondation de la fleur.

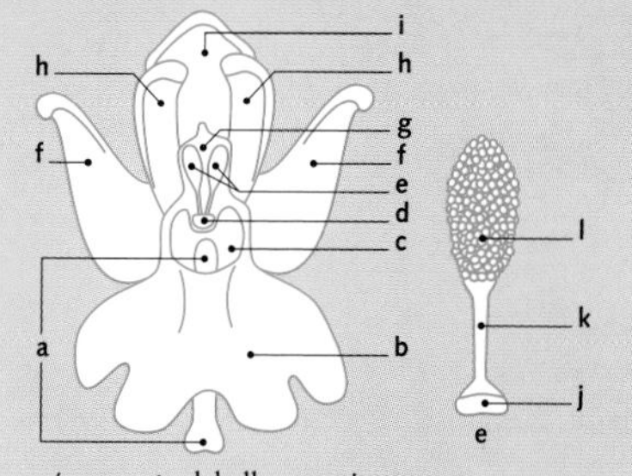

a : éperon ; **b** : labelle ; **c** : stigmate
d : bursicule ; **e** : pollinies ; **f** : sépales latéraux
g : gynostème ; **h** : pétales ; **i** : sépale dorsal
j : rétinacle ; **k** : caudicule ; **l** : masses polliniques

En France, une seule espèce a deux étamines fertiles et trois stigmates fertiles, c'est le sabot de Vénus *(Cypripedium calceolus)*. JCG

TEMPÉRATURE

Les premières orchidées cultivées en Europe* au XIXe siècle ont été installées dans des serres* où l'on s'efforçait d'obtenir des températures dites équatoriales. On ne savait pas alors qu'il faisait frais en altitude dans les zones équatoriales et tropicales. Or le plus grand nombre d'espèces d'orchidées poussent justement dans des pays au relief accidenté situés à ces latitudes : Bornéo, Nouvelle-Guinée, Colombie, Équateur. Les plantes y subissent des variations de température entre le jour et la nuit, et ces variations sont une condition essentielle à la culture des orchidées en serre ou appartement. Même si les orchidées s'adaptent pour la plupart aux 18-20 °C, il leur faut 7 °C de moins la nuit pour prospérer.

La température atteinte pendant la journée a moins d'importance que le minima à respecter la nuit. Les orchidées de serre chaude *(Phalaenopsis, Cattleya)* demandent un minimum nocturne de 16-15 °C, celles de serre tempérée, 13 °C (la plupart des hybrides*) et celles de serre froide, 10 °C *(Cymbidium)*. Ces chiffres sont des moyennes que chacun peut adapter à ses impératifs. Pendant la période de repos des orchidées tropicales (sous l'équateur, les températures varient peu), les minimas sont légèrement abaissés puisque l'on diminue aussi l'arrosage* et l'humidité*. Il est conseillé d'accrocher un thermomètre à « minima-maxima » à côté des plantes pour évaluer les variations et faire des ajustements. Une chute brutale de la température nocturne n'aura pas de conséquences fâcheuses si elle est accidentelle. La température influe sur la croissance et

Ferme à orchidées,
Thaïlande, province de Chiang-mai.

une erreur à son sujet se traduit soit par l'apparition de *keikis* (voir Multiplication spontanée), soit par une absence de floraison*.

Dans les serres mixtes (tempérées en bas et chaudes en haut) les orchidées de serre chaude doivent être placées en hauteur, brumisées plus souvent (en été) pour abaisser leur température et augmenter l'humidité, ombrées et bien ventilées sans création de courant d'air. ML

Terrasse ou jardin

Un quart des orchidées connues ont adopté un mode de vie terrestre*, c'est-à-dire avec des racines* plus ou moins profondément enfoncées sous la surface du sol. Il s'agit surtout d'espèces indigènes* des régions tempérées ou froides (Europe, Asie du Nord, Amérique du Nord et Australie).

Certaines de ces espèces terrestres peuvent être cultivées dans un jardin, dans un lieu abrité du plein soleil et du vent, en pleine terre ou dans des pots mais leur culture n'est pas simple car il est difficile de récréer la composition chimique, l'acidité et le drainage de leurs sols d'origine. On peut s'y essayer avec des plants achetés chez des fournisseurs spécialisés (voir Guide pratique p. 117). *Cypripedium*, *Orchis*, *Dactylorhiza* et *Ophrys* s'acclimatent plus ou moins bien dans un substrat et une exposition adéquats.

Dactylorhiza foliosa, cultivée en pleine terre.

Pour la culture en plein air, on ne trouve pas encore de compost* tout prêt, aussi faut-il mélanger soi-même les ingrédients nécessaires aux différentes espèces.

Une terre de jardin argileuse, enrichie d'humus de feuilles de chêne ou de hêtre, additionnée de sable grossier et d'écorces de pin et compostée conviendra aux *Orchis*, *Ophrys*, *Dactylorhiza.* Les *Cypripedium* – sauf *C. calceolus* ou sabot de Vénus qui apprécie le calcaire –, les *Spiranthes* préfèrent une terre plus acide. On remplacera donc le sable et l'écorce par de la tourbe de sphaigne.

Quelques espèces parmi les exotiques asiatiques *(Pleione* et *Bletilla)* s'adaptent assez bien à notre climat à condition d'être protégées en hiver de la pluie et du froid. Installées au jardin ou dans des pots, elles se plaisent à mi-ombre dans un mélange d'écorces de pin et de tourbe. ML

Serapias vomeracea, le sérapias à long labelle, Var.

■ Terrestre

Les orchidées terrestres sont minoritaires dans la famille. Contrairement à la plupart des épiphytes*, elles incluent obligatoirement dans leur cycle des périodes de repos prononcé, correspondant aux saisons froides ou sèches. Ces types écologiques vont de pair avec une accumulation de réserves dans les organes souterrains, lesquels sont souvent des tubercules ou des racines* charnues. Devant la splendeur des orchidées exotiques cultivées dans les jardins* botaniques ou obtenues par l'horticulture, on oublie trop souvent que ces plantes sont présentes en France et dans d'autres pays au climat tempéré. Les orchidées indigènes* sont de taille relativement réduite mais d'une très grande beauté, ce qui fait qu'elles sont à présent menacées quant à leur survie dans la nature et interdites à la cueillette.
La flore européenne comporte plusieurs centaines d'espèces.

En France, on en a répertorié, grâce à l'inventaire* national, près de 150 espèces dont la protection* est assurée aujourd'hui par la législation. Parmi ces espèces, il en est une qui se distingue par sa singulière beauté : *Cypripedium calceolus* ou sabot de Vénus, propre à la flore de montagne, malheureusement très menacé. Son biotope* est situé en milieu forestier humide, sur sol calcaire, uniquement parmi les feuillus et jusqu'à 1 800 m d'altitude.
Un genre proche de *Cypripedium*, *Paphiopedilum*, quoique d'origine tropicale ou subtropicale, est le plus souvent terrestre et se rencontre en Inde ou en Asie du Sud-Est. Son nom emprunte aux mots *paphia*, nom attribué à Vénus, et *pedilum*, car le labelle est en forme de sabot trilobé, avec parfois un lobe médian énorme chez certains cultivars horticoles. Les *Lycaste* et les *Anguloa* sont de belles orchidées américaines souvent terrestres. De nombreuses espèces sont semi-terrestres ou bien lithophytes (elles se développent sur la pierre ou la roche). YD

Thérapeutique

Dioscoride*, par l'intérêt qu'il porta aux tubercules d'orchidées dans son traité *De Materia medica*, assura à ces plantes une réputation médicinale et diététique toujours présente dans les pharmacopées du Moyen Âge. Les médecines anciennes – arabe, chinoise et indienne – offrirent une bonne place aux orchidées à tubercule*. Les parties souterraines des plantes étaient utilisées en priorité : récoltés et séchés, réduits en poudre ou conservés entier, les tubercules intervenaient dans des préparations médicinales ou magiques qui avaient de prétendues vertus aphrodisiaques.
Aujourd'hui encore, on attribue à certains produits issus des orchidées des propriétés thérapeutiques. C'est le cas de la vanille*, du salep* et du faham, dont les feuilles séchées prises en infusion ont des propriétés digestives et pectorales, et dont les feuilles fumées combattent les crises d'asthme. Aux États-Unis, l'extrait de racines du *Cypripedium pubescens* a figuré dans la très officielle *United States Pharmacopeia* pour ses vertus dans le traitement de divers troubles nerveux.
Les *Orchis*, qui sont des orchidées indigènes* connues depuis

HISTOIRE DES PLANTES,
EN LAQVELLE
EST CONTENVE LA DESCRIPTION ENTIERE DES HERbes, c'est à dire, leurs Especes, Forme, Noms, Temperament, Vertus & Operations: non seulement de celles qui croissent en ce pais, mais aussi des autres estrangeres qui viennent en vsage de Medecine.
PAR REMBERT DODOENS
Medecin de la Ville de Malines.
Nouuellement traduite de bas Aleman en François par Charles de l'Escluse.
EN ANVERS,
De l'Imprimerie de Iean Loë.
M. D. LVII.

Page de titre de l'*Histoire des plantes en laquelle est contenue la description entière des herbes*… par Rembert Dodœns, Anvers 1657.

l'Antiquité, avaient pour les Grecs des vertus magiques et leur paraissaient liées à la sexualité du fait de l'apparence de leurs tubercules. Également nommées « satyrion », elles figuraient, dans les mythologies, en bonne place dans l'alimentation des satyres dont elles soutenaient la puissance génésique. La forme digitée des tubercules de *Dactylorhiza* leur valut le nom de « main de mort » ou « main du Christ » et d'être portés en amulettes. GC

Tubercule. Voir Racines

Tuteurage

Dans la nature, les orchidées n'ont pas de tuteurs et les hampes florales obéissent à la gravité si elles ne sont pas soutenues par des bulbes rigides comme chez *Cattleya* ou *Laelia.* Les *Oncidium* ont couramment des hampes dépassant 1 ou 2 mètres. Même celles des *Phalaenopsis* peuvent atteindre une

taille respectable. Il n'est pas facile d'installer de telles plantes chez soi. Le tuteurage permet de maintenir la hampe dans une position verticale. Certaines orchidées au port retombant ne supportent pas d'être tuteurées. Le tuteurage est utile pour transporter la plante et la soutenir lorsqu'elle est fraîchement rempotée*, car elle n'est pas encore fixée au nouveau compost*. Il est indispensable quand, au cours du rempotage, on a supprimé toutes les racines* mortes ou abîmées. Attacher les tuteurs – baguettes de faible diamètre, en bois ou en plastique – avec des liens de raphia ou mieux avec du fil plastifié vert, moins visible, après les avoir enfoncés dans le compost sans détériorer les racines. Lorsque la plante est bien installée et a produit de nouvelles racines assez vigoureuses, on peut les retirer. ML

Vanille

Le mot vanille apparaît chez les populations espagnoles installées au Mexique (voir Nouveau Monde) pour désigner la gousse* du nouvel aromate. Vainilla, diminutif de l'espagnol *vaina* (du latin *vagina,* gaine), devenu banille puis vanille, s'impose à la place du terme aztèque de *Tlixochitl* (de *tlili,* noir, et *xochitl,* fruit) et remplace les locutions longues et compliquées utilisées par les savants.

Les vanilliers sont des orchidées, de la famille des Épidendrées, regroupées en un genre unique, *Vanilla.* Naturellement distribuées sur les continents américain, africain et asiatique entre les 27e parallèles nord et sud à l'exception de l'Australie, certaines espèces ont vu leur aire de distribution* géographique considérablement modifiée par l'homme lors de l'expansion économique* coloniale des XVIIIe et XIXe siècles. Des 110 espèces recensées, une quinzaine seulement produisent des fruits aromatiques. Trois d'entre elles – *Vanilla fragrans, Vanilla pompona, Vanilla tahitensis* – ont fait l'objet d'une mise en culture et ont été intégrées au cours du XIXe siècle à l'économie de plantation.

Dès leur importation en France, au cours du XVIe siècle, les gousses de vanille mexicaine firent l'objet d'un commerce spécialisé (aromatisation du chocolat et du tabac), réglementé par l'édit royal de janvier 1692 qui limitait à Rouen et Marseille les ports autorisés à l'importer.

Cymbidium 'Burgundian'.

Tuteurage d'un *Vuylstekeara cambria.*

Double page suivante : Tri des gousses de vanille, Madagascar.

Fleur de vanillier, Polynésie.

La vanille du Mexique *(Vanilla fragrans)* produit les gousses les plus aromatiques (voir Crus). C'est une liane charnue pouvant atteindre sur un support 10 à 15 m de long. La tige, vert foncé, est pourvue de racines* aériennes qui lui permettent de s'attacher aux supports. Les feuilles sont grandes, oblongues à lancéolées. L'inflorescence porte de six à trente fleurs, grandes, jaune verdâtre, d'aspect cireux. Aromatiques, elles s'épanouissent fugacement (environ 8 h) et sont remplacées après fécondation* naturelle ou artificielle (voir Neumann), par une capsule aromatique improprement appelée gousse. Aujourd'hui, en dehors de l'usage domestique, la vanille sert dans la confiserie, la pâtisserie, la parfumerie, l'industrie des cosmétiques, la fabrication du chocolat, des liqueurs, l'extraction d'arômes naturels. GC

« [La vanille] donne remède contre les piqûres froides des animaux venimeux. Elle supprime les mois [les règles] et les urines, avance l'accouchement et pousse les vidanges, réchauffe l'estomac, le fortifie, facilite la digestion et dissipe les vents, fortifie le cerveau. »

Francisco Hernandes, médecin espagnol, XVIe siècle.

VENTE
Un marché spécialisé

Les orchidophiles ne savent pas eux-mêmes combien d'espèces d'orchidées existent dans le monde. Le Jardin* botanique de Kew, en Grande-Bretagne, a constitué une banque de données où sont répertoriées environ 40 000 espèces plus les hybrides* enregistrés (tous ne le sont pas) et l'on peut avancer le chiffre de plus de 100 000 variétés horticoles. Il en reste sûrement encore quelques-unes à découvrir, vivant, par exemple, dans des régions inaccessibles de Nouvelle-Guinée ou en Chine.

Il est impossible à chaque orchidéiste de proposer toutes les espèces disponibles à la vente et la spécialisation est inévitable, que ce soit par espèces ou par grandes régions d'origine. Dix mille espèces environ sont sur le marché et, parmi elles, la moitié n'intéresse qu'un petit cercle de collectionneurs* spécialisés, car il s'agit surtout de petites plantes, avec des fleurs minuscules *(Bulbophyllum)*, mais présentant des formes et des couleurs étonnantes.

Les hybrides et les espèces à la floraison* spectaculaire sont, par contre, très recherchés. La rareté alliée à la beauté de certains hybrides déterminent les prix. Si l'on n'est pas collectionneur, on trouve aisément son bonheur parmi les espèces courantes : *Phalaenopsis, Paphiopedilum, Cymbidium, Cattleya, Miltonia, Oncidium, Dendrobium* et leurs hybrides. Il est très important, lors de l'acquisition, de connaître le nom exact de l'orchidée, cela facilitera une éventuelle demande de conseils. Le commerce des orchidées est contrôlé par la CITES*. ML

Vente de *Phalaenopsis,* serre des établissements Marcel Lecoufle, Boissy-Saint-Léger.

VENTILATION

Les orchidées apprécient non seulement un compost* aéré mais également une circulation d'air autour des parties aériennes de la plante, feuilles et fleurs, évitant ainsi les maladies* bactériennes et fongiques, fréquentes dans les atmosphères confinées. Ainsi, les fleurs piquetées de petits points noirs d'un *Phalaenopsis* sont dues au développement intempestif du champignon *Botrytis cinerea* par manque de ventilation.

Pour établir cette circulation d'air indispensable, il faut prendre quelques précautions, car il faut éviter les courants d'air préjudiciables. Pour une seule plante, il est inutile de s'équiper d'un ventilateur. En fait, un mouvement d'air de 1 m/sec. autour des plantes est suffisant, au-delà elles sèchent trop. Pour percevoir ce mouvement, il suffit d'accrocher des brins de laine de 10 cm environ sur des plantes placées à différents niveaux. Si le brin bouge, la circulation d'air se fait autour de la plante. Pour plusieurs plantes, acheter un petit ventilateur, à placer à la distance adéquate pour faire bouger la laine. Certaines espèces *(Masdevallia)* ont un besoin vital d'air en mouvement.

Serre de *Phalaenopsis*.
Établissements Marcel Lecoufle, Boissy-Saint-Léger.

Par temps chaud, il est essentiel de ventiler pour abaisser la température* de la plante et éviter d'avoir à brumiser trop souvent, surtout si l'on ne dispose pas d'un système automatique. Il faut vérifier que les serres*, surtout les petites, soient pourvues d'aérateurs latéraux et de toit. L'idéal est d'avoir des ouvertures grillagées, équipées d'aspirateurs d'air frais sous les tablettes. Les systèmes de ventilation, très desséchants, ne doivent jamais être installés juste au niveau des plantes. En été, on peut ouvrir la porte de la serre ; on court alors le risque d'y faire entrer des parasites et de provoquer un courant d'air fatal. On peut aussi sortir les plantes dans le jardin en les protégeant des rayons du soleil et des vents froids selon les espèces.

Même en hiver, une circulation d'air est indispensable car les orchidées préfèrent un air en mouvement, même plus frais que prévu, plutôt qu'un air stagnant favorable aux maladies. Il suffit de veiller à ce que cette circulation d'air ne refroidisse pas trop l'atmosphère. ML

ESPÈCES PROTÉGÉES EN FRANCE

ESPÈCES PROTÉGÉES EN FRANCE par l'arrêté du 20 janvier 1982 (Journal Officiel du 13 mai 1982), modifié par l'arrêté du 31 août 1995 (Journal Officiel du 17 octobre 1995) De plus, depuis 1986, des arrêtés donnent des listes d'espèces protégées au niveau régional ou départemental.

Cypripedium calceolus, sabot de Vénus
Epipogium aphyllum, épipogon sans feuille
Hammarbya paludosa, malaxis des tourbières
Liparis loeselii, liparis de Loesel
Ophrys aveyronensis, ophrys de l'Aveyron
Ophrys bartolonii s. l., ophrys bertolonii
   Ophrys aurelia,
   Ophrys catalaunica,
   Ophrys drumana,
   Ophrys magniflora,
   Ophrys saratoi.
Ophrys bombyliflora, ophrys bombyx
Ophrys speculum, ophrys miroir
Ophrys tenthredinifera, ophrys à grandes fleurs
Orchis collina, orchis feu
Orchis coriophora, orchis punaise
   O. coriophora subsp. *coriophora,*
   O. coriophora subsp *fragrans,*
   O. coriophora subsp *martrinii.*
Orchis longicornu, orchis à long éperon
Orchis provincialis pauciflora, orchis à fleurs peu nombreuses
Orchis spitzelii, orchis de Spitzel
Serapias neglecta, sérapias négligé
Serapias nurrica, sérapias des nuraghi
Serapias parviflora, sérapias à petites fleurs
Spiranthes aestivalis, spiranthe d'été

SOCIÉTÉS ET ASSOCIATIONS D'ORCHIDOPHILIE

S.F.O. Société Française d'Orchidophilie
Association agréée par le Ministère de l'Environnement
17-19, quai de la Seine 75019 Paris
Tél : 1 40 37 36 46 - Fax : 1 40 80 07 81

F.F.A.O. Fédération Française des Amateurs d'Orchidées
Contact : Dr. Ph. Ch. Martin
159 ter, rue de Paris 95680 Montlignon

A.F.C.P.O. Association Française Culture et Protection des Orchidées
Secrétariat : Nicole Rigal
23, rue d'Alsace 92300 Levallois-Perret

A.O.E.F. Association des Orchidophiles et des Epiphytophiles de France
22, avenue Notre-Dame 06000 Nice

R.A.O. Rhône-Alpes Orchidées
Maison pour Tous
14, place Grandclément 69100 Villeurbanne

Orchidées et plantes exotiques d'Aquitaine
Maison des Associations
Place de l'Église 33520 Bruges

S.O.L.O. Société Orchidées Loire-Océan
Quai Henri Barbusse 44000 Nantes
Contact : Claude Cadeau
85, rue de Toutes Aides
44600 Saint-Nazaire
Tél : 40 01 86 07

Amis du Jardin Botanique de Strasbourg Section des Orchidophiles
28, rue Goethe 67000 Strasbourg

Association Abeille d'Or
Contact : Geneviève Couchet
8, rue Frébault 97110 Pointe-à-Pitre Guadeloupe

Ionopsis Club
Contact : Guy Julius
Lotissement Les Hibiscus, Route de Balata
97200 Fort-de-France Martinique

Société Guyanaise d'Orchidophilie
BP 98 - 97322 Cayenne cedex Guyane

Société Néo-Calédonienne d'Orchidophilie
Contact : Georges Lavois
BP 23 Nouméa Nouvelle-Calédonie

Amicale des Orchidophiles du Nord de la Réunion
Contact : Raymonde Colbe
184, allée des Topazes
97467 Saint-Denis cedex La Réunion

Les Orchidophiles du Sud
Secrétariat : Serge Prouteau
BP 125 - 97833 Le Tampon cedex La Réunion

C.A.O.B. Coordenadoria das Associaçoes Orquidofilas do Brasil
22, Jd. Roseiral
15070-500 Sao Jose do Rio Preto - SP Brasil

OBTENTEURS FRANÇAIS ET ÉTRANGERS

En France :

Établissements Marcel Lecoufle / Geneviève Bert
5, rue de Paris
94470 Boissy-Saint-Léger
Tél : serres : (16-1) 45 69 12 79
magasin : (16-1)45 95 25 25

Établissements P.F.F. Vacherot et Lecoufle - La Tuilerie
29, rue de Valenton BP 8
94471 Boissy-Saint-Léger cedex
Tél : (16-1)45 69 10 42

Exofleur Alfred et Béatrice Pasenau
Chemin de Faudouas
31700 Toulouse-Cornebarrieu
Tél : (16) 61 85 27 25

Les Orchidées de Michel Vacherot
La Baume D.7
83520 Roquebrune-sur-Argens
Tél : (16) 94 45 48 59

Orchid Valley Daniel Gorvel
Ville Bertha
22150 Plouguenast
Tél : (16) 96 28 77 71

En Belgique :

Akerne Orchids
Laarsebeekdreef 4
B- 2120 Schoten

Aux Pays-Bas :

Orchideeën Wubben
Tolakkerweg 162
3739 JT - Hollandsche Rading-Maartensdijk
Tél : (19-31) 35 577 1222

Orchideeëncentrum De Wilg
Bermweg 16B
2911 CA - Nieuwerkerk aan der Yssel
Tél : (19-31) 18 031 4568

Paul Orchideeën
Oosteinderweg 129B
1432 AH - Aalsmeer
Tél : (19-31) 29 772 7006

b.v. Floricultura
Cruquiusweg 9. Postf. 17
2100 AA Heemstede
Tél : (19-31) 23 290 088

En Allemagne :

Orchideeën von Kühn
Forstweg 12
D - 66132 Saarbrücken
Tél : (19-49) 681 89 20 43

Wilhelm Hennis Orchideen
Gr. Venedig 4
D 31134 Hildesheim
Tél : (19-49) 512 13 56 77

Wichmann Orchideen
D 29229 Celle
Tél : (19-49) 514 13 85 011

En Angleterre :

Exmoor Orchids
The Vandas, Sidbury
Bridgnorth, Salop WV 16 6PY

McBeans Orchids Ltd
Coocksbridge, Lewes
east Sussex BN8 4PR
Tél : (19-44) 0273 400 228

Orchids Bagworth
50 Henry Street
Kenilworth, Warwickshire CV8 2HT
Tél : (19-44) 0926 - 50 062

Cheshire Orchids
7 Cornwall Close, Mossley
Congleton, Cheshire CW12 3JZ
Tél : (19-44) 0260 270562

Kilgetty Orchids
Moory Park, Jeffreston
Kilgetty Dyfed SA6 8ORT
Tél : (19-44) 0646 - 651 708

Au Brésil :

Equilab
P.O. Box 132
13100 Campinas
Tél : (19-192) 41 1899
Fax (19-192) 43 24 14

Santa Isabel Orchids
P.O. Box 25
Santa Isabel SP - CEP 07500
Tél : (19-192-11) 472-1210

BIBLIOGRAPHIE SÉLECTIVE

Gaston Bonnier et R. Douin, *Flore complète illustrée en couleurs de la France, Suisse et Belgique*, 12 vol., Paris, 1911-1935.
Hippolyte Coste, *Flore descriptive et illustrée de la France, de la Corse et des contrées limiropes*, 3 vol. + suppl., Paris, 1937.
Gilbert Bouriquet, *Le vanillier et la vanille dans le monde*, Paris, 1954.
Marcel Guinochet et Roger de Vilmorin, *Flore de France*, 5 vol., Paris, 1973-1984.
Patrick Mioulane, *Vos orchidées*, Paris, 1986.
Bernard Boulard, *Dictionnaire de botanique*, Paris, 1988.
Takashi Kijima, *Les Orchidées démons et merveilles*, Paris, 1988.
Gérard Leroy-Terquem et Jean Parisot, *Comment choisir et entretenir vos Orchidées*, Paris, 1989.
Paul Fournier, *Les Quatre flores de la France*, Paris, 1990.
Gérard Leroy-Terquem et Djohar Si Ahmed, *Orchidées Passion*, Paris, 1991.
Pierre Delforge, *Guide des orchidées d'Europe, d'Afrique du Nord et du Proche-Orient*, Lausanne et Paris, 1994.
Marcel Lecoufle, *Orchidées en relief*, Paris, 1994.
Pierre Jacquet, *Une répartition des Orchidées sauvages de France*, (3ème édition mise à jour). Paris, 1995.
Philippe Danton et Michel Baffray, *Inventaire des plantes protégées en France*, Paris, Mulhouse,1995.
Peter Arnold, *Orchidées*, Paris, 1995.

I N D E X

Crédits photographiques : Janine Bournerias 95h ; Yves Delange 31, 54h, 55 ; Jean-Claude Gachet 16-17, 19, 31, 35b, 36b, 56-57, 58g, 64g, 64d, 64b, 65, 70g, 70d, 82b, 82h, 85, 88, 97, 106 ; Marcel Lecoufle 30, 42, 43b, 45d, 54b, 59d, 72-73, 74g, 74d, 75b, 78b, 96, 113, 114-115 ; Jean-Pierre Lepabic 15, 21, 26, 38-39, 50, 57h, 67, 75h, 89, 90, 94, 98-99, 100-101 ; BERLIN, Bildarchiv Preussischer Kulturbesitz 60-61 ; GRASSE, Musée international de la Parfumerie 46 ; LONDRES, The Bridgeman Art Library 12-13, 14, 47h, 80-81 ; MADRID, Biblioteca Nacional ; NEUILLY, Ami des Jardins/P. Ferret 32-33, 76-77, 92-93, 104-105 /P. Fernandes 33, 45g, 45c, 93g, 93c, 93d, 108, 109 ; OXFORD, Ashmolean Museum of Art and Archeology 68b ; PARIS, Bibliothèque centrale du Muséum national d'histoire naturelle 18, 31, 35h, 36h, 47b, 56h, 107 ; Bios 22-23 /M. Depraz-WWF 40 /F. Rouquette 52-53, 102-103 / M. Gunther 95b ; Collection Christophe L. 94h ; Dagli Orti 41, 48-49 ; Jacana/ G. Leroy-Terquem 44-45 /M. Claye 59g, 112 / J.P. Soulier 62-63 /F. Depalle 78h /C. Nardin 91h /M.C. Noailles 91b ; Magnum/S. Salgado 86-87 ; Réunion des musées nationaux 10, 27, 28, 34, 43h, 71 ; Roger-Viollet 24-25 /Harlingue-Viollet 68h ; Sygma 37, 58d ; VANVES, Explorer 29 /L. Girard 51 /J.L. Gobert 101-111.

Directeur de la Série Science et Nature : Geneviève CARBONE
Coordination éditoriale : Béatrice PETIT
REWRITING : Diana DARLEY
Direction artistique : Frédéric CÉLESTIN
Mise en page : Thierry RENARD
Photogravure, Flashage : Pollina s.a., Luçon
Papier : BVS-Plus brillant 135 g. distribué par Axe papier, Champigny-sur-Marne
Couverture imprimée par Pollina s.a., Luçon
Achevé d'imprimer et broché en août 1996 par Pollina s.a., Luçon

ISBN : 2-08-011786-6
ISSN : 1258-2794
N° d'édition :1219
N° d'impression : 70048
Dépôt légal : septembre 1996
Imprimé en France

Pages 4-5 : *Encyclia vitellina*, Mexique et Guatemala.